3 妖怪モシナの呪い
セカイの千怪奇
せんかいき
SEKAI NO SENKAIKI
木滝りま　太田守信・作
イノオカ・絵
先崎真琴・キャラクター原案
JN197242

世界は、千々の怪奇にあふれ、
科学では説明できない現象がおきている。
その真実を、人類は未だ知り得ない。

世開　未知人

中学1年の12歳。父・世開 豪、チンチラのチラとともに世界中の怪奇現象を調べながら母・結の行方を追う。端整な顔だちだが、身だしなみには無頓着。クラスではオカルト好きなためか変人とよばれている。

登場人物

世開 豪

未知人の父。元は大学教授で考古学者。現在はオカルト動画配信サイト「オーチューブ」で未知人と共に「セカイの千怪奇ちゃんねる」として活動。寒いギャグをよくいう。

天堂 マコ

中学１年の12歳。未知人とは保育園のころからのつきあいで、小・中学校も同じ。合気道部と弁論部に所属。しっかり者のパワーガール。

チラ

キリストの墓で出会ったチンチラ。名付け親は豪。普通のチンチラらしくない不思議な行動が多く、豪の寒いギャグが大好き。

アンナ・フィッツジェラルド

怪奇現象をネタにする12歳のオーチューバー。フィッツジェラルド家の財力を使って、執事のアーサーと共に世界中で動画を撮影している。オカルトを否定しており、オカルトを信じる未知人とは犬猿の仲。

幻

未知人たちの前に立ち塞がる謎の存在。この世のものではないような美しい顔立ちをしている。超常的な力を持ち、たびたび『神』という存在を口にする。

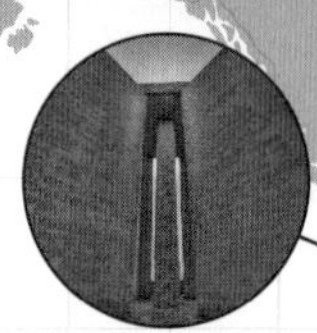

5 ジョージア・ガイドストーン

アメリカ合衆国(がっしゅうこく)

3 妖怪(ようかい)モシナの呪(のろ)い

台湾(たいわん)

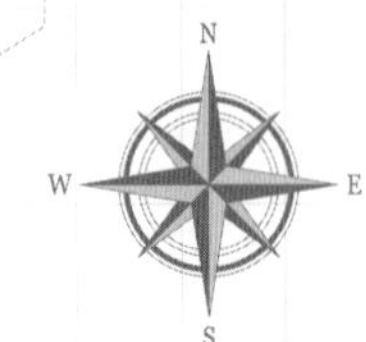

日付変更線(ひづけへんこうせん)

1 貴婦人の城をさまよう幽霊

フランス

4 降霊術に秘められたアンナの過去

イギリス

赤道

2 ヒマラヤのイエティ、母の愛

ネパール

この本にのっている写真は、
すべて現地で撮影されたものだ

プロローグ

「どうだ、**未知人？** チラは何か反応をしめしたか？」

父・世開 豪が身を乗りだして、未知人にたずねる。

「いや、チラとも鳴かないけど……」

未知人は、抱いている**チンチラのチラ**の様子をうかがいながら、そう答えた。

ふたりがいるのは、家の近所にあるキリスト教会。

ふたりがチラと出会ったのは、日本の青森県にある『キリストの墓』と称される場所だった。

「ひょっとしたら、チラはオレたちのために、天からつかわされた守り神なんじゃないかな？」

休暇でヒマをもてあました豪が、そんなことをいいだし、かくしてふたりはチラをこの教会に連れてきたというわけだ。

チラが神のつかいなら、何らかの反応をしめすにちがいない、と思ったのだ。

しかし、意に反して……というか、まあ、だいたいはそうなるだろうと予想していたが、チラは教会に対しても、十字架に対しても、まったく反応をしめさなかった。

「まあ、そもそも、あの墓自体が、キリストのものかどうかもマユツバだしね」

未知人が素っ気なく答えると、豪は苦笑まじりにつぶやく。

「チラが神の使者なら、母さんが居る場所へ、オレたちを導いてくれると思ったんだけどなあ……」


豪の妻であり、未知人の母である結が、行方不明になったのは7年前のこと——。

自宅の庭に現れた謎の光に吸いこまれ、母は消えてしまったのだ。

その後、大学教授からオカルト動画を配信するオーチューバーに転職した豪と、未知人は世界を駆けめぐりながら、一方で母の行方を捜し続けている。

チラと出会ったのは、そうした日々のなかでのことだった。

「まあ、いいんじゃない。チラのおかげで、癒されてるのはたしかだし」

「母さんのいない**寂しさをチラはチラしてくれてる**んだから、ある意味、守り神だよな」


——そのときだった。


「チラチラ～！」

突然、チラは、未知人の腕のなかから飛びだして、一方へと駆けだしていった。

「おっ、チラが何かに反応したぞ！」

豪と未知人は、チラを追いかけていく。


チラがたどりついたのは、とある少女の足もとだった。

少女は、チラを抱きあげると、笑顔をうかべ、その背中をなでる。

「チラってば、相変わらず、人なつっこいのね～」

少女は天堂マコ。未知人の幼なじみだ。

「あれ？　マコ？　こんなところで会うなんて珍しいな」

ひとりで教会にやってきたマコを不思議に思い、未知人はたずねる。

「わたし、この教会が好きで、昔から、よくきてたんだよ」

「え、そうだったの？」

「別にキリスト教徒ってワケじゃないけど、ちょっとした願い事があるとき、ここにきてお祈りするの」

「へえ」

「未知人、あしたからお父さんとフランスへいくんでしょ？　だから、旅の無事を祈ろうと思って」

マコは、抱いていたチラを未知人にかえすと、十字架にむかって両手をあわせ、お祈りをはじめる。

そんなマコを、呆気にとられ、見つめる未知人。

すると、豪が未知人をつつきながらいった。

「オレたちの守り神は、チラのほかにもいたじゃないか」

豪のことばに、未知人も照れくさそうにしながら、うなずきをかえした。

1 貴婦人の城をさまよう幽霊

フランス

17世紀のはじめごろ。

フランスの中部を流れるロワール川の支流、シェール川にうかぶ橋のように建てられた**シュノンソー城**。

この周囲を山に囲まれた白亜の城は、アンリ3世の妻である**ルイーズ・ド・ロレーヌ王妃**が亡くなって以来、しばらく城主がいないまま、庭師の夫婦によって管理されていた。

当時、広い城にはほかに誰もおらず、訪ねる者もない。

ところが、ある夜のこと。

庭師の夫が小屋の窓から、ふと城の方をながめていると、不思議な白い光がユラユラと動いているのを見つける。

「なんだ、ありゃあ。白い服をきた人間のようにも見えるが……」

それをきいた妻は気味悪がった。

「やめとくれよ。まるで生きていたころの王妃様じゃないか」

ルイーズ王妃は生前、世継ぎが生まれないことで精神的に追いつめられていた。

シュノンソー城　上空▶

そのうえ、夫であるアンリ3世を戦争で亡くすと、心を病み、誰とも会わずに真っ黒な部屋に引きこもってしまった。

だが深夜になると、しゃれこうべの刺繍がはいった白い喪服をきて城内をフラフラ歩きまわるようになったという。

そうして1601年、王妃は47歳の若さで生涯をとじた。

そのことを思いだした夫もゾッとして、妻にいう。

「きっとどこかのバカの、タチの悪いイタズラだ。ちょっと城のなかにいって、とっちめてやる」

そういって、夫は小屋をでていった。

しかしそれきり、何時間経ってもかえってこない。

そしてとうとう心配になった妻は、夫を捜しに城へとむかった。


カッ、カッ、カッ……。

◀ルイーズ
こもったとこ
「黒い部屋」

靴音を鳴らしながら、ランプのあかりをたよりに城内を歩く。

昼間は壮麗なすがたを誇る城内だが、誰もいない真夜中となれば不気味なものだ。

そんななか、妻は恐る恐る歩きまわり、夫のすがたを捜す。

すると、大回廊とよばれる、川の上に位置する通路で、倒れている夫を見つけた。

「どうしたの!?　ねえ、大丈夫!?」

しかし何度よびかけても返事はなく、その顔を見ると、目と口を大きく開いた恐怖の表情のまま、亡くなっていた。

妻は驚き、そしてむせび泣く。

そのとき──。

背後に気配を感じて振りかえると、妻は悲鳴をあげた。

「きゃあああああ！　あなたは！　あなたはまさか！」

そこには白い服をきた女がたたずんでいたのだ。

だが女はさけぶ妻を無視するように、すーっとそのまますがたを消した。

それ以来、この城は孤独な王妃の霊がさまよっているとウワサされるようになった。

そして王妃の死から400年以上経った今も、彼女は深い悲しみを抱えながら、夫を捜し続けているといわれている——。

▲シュノンソー城内

「はいっ、というわけで以上なんですが……**今回の調査結果はちょっと強引だったんじゃないかって？　それでも豪はゴーイング！**」

細い指先で手元のノートパソコンを操作すると、ホームシアターの大スクリーンに映されていたライブ動画の画面に大量の課金アイテムがふりそそぐ。

「おおっ！　オリヴィアさん、今日もたくさんありがとうございます！　これからも応援よろしくお願いしますっ！　というわけで、次回の動画もお楽しみに〜」

そして画面のむこうの豪が手を振るなか、動画が停止すると、ふっくらとしたソファーから跳ねるようにたちあがったのは、**アンナ**だ。

今日もお気に入りのブランドのゴシック・ロリータで身をつつみ、ツインテールの長い髪をゆらしている。

すると、コンコンとノックの音がした。

「どうぞ」

アンナが許可すると、静かにドアが開けられる。

そして部屋にはいってきたのは燕尾服の英国紳士。
アンナの執事・アーサーである。

「おじょうさま。次の撮影地へむかう準備が整いました」

「ちょうど動画を見おえたところよ」

「ええ。その頃合いかと思いまして」

「さすがね。それじゃあいきましょう。フランスへ！」

厚底ラバーソールの踵を鳴らし、アンナが颯爽と部屋をでると、アーサーも三歩分後ろからついてゆく。

そして屋敷をでると、玄関先でまっていたリムジンに乗りこむ。

むかうはフィッツジェラルド家がもつ、広大な敷地の一角の滑走路。

プライベートジェットの前にはすでにお抱えのパイロットとキャビンアテンダントがずらりと整列していた――。

◆ ◆ ◆

「おお〜、川にお城が逆さで映ってる！　なんとも素晴らしい景色じゃないか！　**未知人**もそう思うだろ⁉」

「そうだけど……絶景なんて世界中いろんなところで見てるってのに、よくいちいちはじめて見るみたいにはしゃげるよな、父さんは——って、おい、チラ！」

未知人の胸ポケットから飛びだして、銀髪の頭を駆けあがっていったのは**チンチラのチラ**である。

「いててて。髪をつかむんじゃない！」

未知人は**母・結**が謎の光にさらわれたとき、異常なほどの聴力を得たのと同時に、それまで黒かった髪の毛が銀色になってしまった。

そんな未知人の銀髪をチラは両手でつかみ、頭の上に登っていった。

どうやらチラも景色が見たかったらしい。

まるで人間のように両手を叩き、喜んでいる。

それを見た豪は笑いながら未知人にいった。

「感動したらそれを表現して伝えたくなるじゃないか！　そのためには、黙ってたらイカンど〜っ！」

花の都・**パリ**から車で3時間ほど。

プラタナスの並木道を抜けたその先、シェール川の上に、**シュノンソー城**は建っている。

せっかくきたんだからと気合いをいれてフレンチのランチコースを堪能してからパリを出発したふたりと1匹が到着したのは空が朱色にそまりはじめる夕刻だった。

豪は運転があるからワインを飲めなかったと悔しそうにしていたが、未知人はその洗練された料理の数々に舌鼓を打ち、感動した。

マコあたりに食レポを伝えれば、大層羨ましがるに違いない。

それはさておき、目の前にそびえ立つのは、まさしく『**フランスルネッサンス珠玉の**

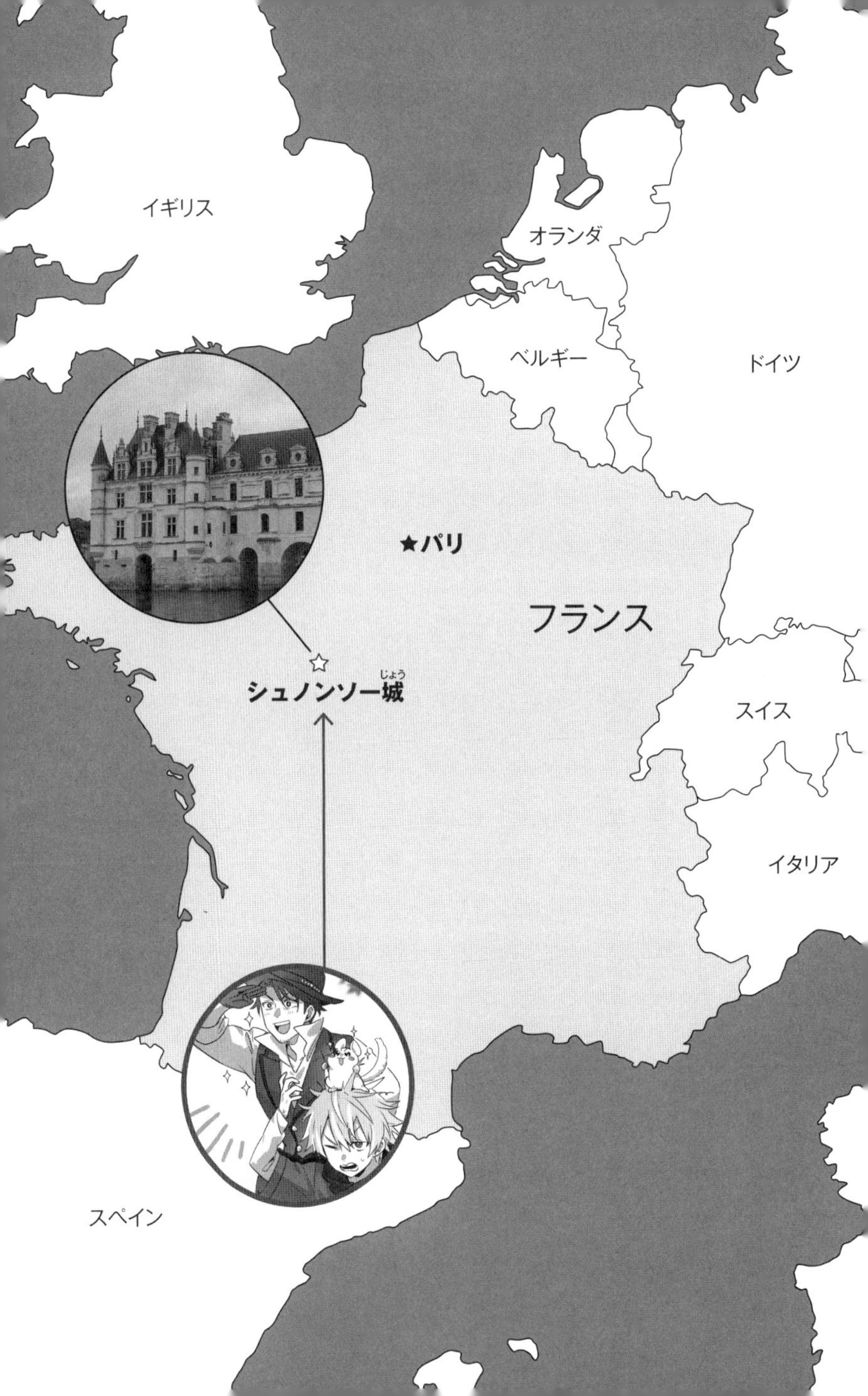
イギリス
オランダ
ベルギー
ドイツ
★パリ
フランス
シュノンソー城
スイス
イタリア
スペイン

城』といわれるのにふさわしい、白く美しい建物だ。

観光地としても、古城のおおいフランスのなかでベルサイユ宮殿に次ぐ人気を誇り、世界遺産『シュリー＝シュル＝ロワールとシャロンヌ間のロワール渓谷』にもふくまれている景勝地である。

そんなこの場所にふたりがやってきたのは、もちろん観光のためではない。

調査の依頼があったのだ。

「**セカイの千怪奇ちゃんねる**のミステリーガイド・ゴウさまですね……。おまちしておりました」

未知人たちに近付き、声をかけてきたのは、未知人よりすこし年上、高校生くらいの二人組で、

ブロンド（金色）の髪が美しい少女だった。

しかも少女たちの顔立ちは驚くほどそっくりで

ある。

「ボンジュール！　キミ達が今回の依頼人の？」

「……クロエです」

「私はレアよ！」

クロエと名乗った少女は大人しく引っこみ思案な雰囲気。

対して**レア**は活発そうな感じだ。

それにしてもよく似ていると、豪と未知人はふたりを見比べながら思う。

「キミたち、もしかして……」

豪がたずねると、ふたりは声をそろえていう。

『**ええ、双子です**』

「でも、性格は全然違うからわかりやすいですよね」

クロエが控えめな笑顔をうかべた。

豪も未知人も英語はペラペラだが、フランス語は挨拶くらいしかわからない。

だが、クロエもレアも学校で英語を学んでいるということで、簡単な会話ならできるようだった。

豪は改めて依頼内容を確認するため、クロエに話しかけた。

「ここで、ボーイフレンドがいなくなってしまったんだね？」

「えっと、その日、私はいなかったんですけど……今日はレアのつきそいで……」

クロエがふし目がちにそう答える。

すると今度はレアが口を開く。

「依頼人は私よ。クロエがあなたのファンで、私に紹介してくれたの」

「あらま、そういうこと！」

豪はポンと左の手のひらを右手のゲンコツで叩く。

そしてポケットから1枚の豪の写真がプリントされたステッカーをクロエにさしだした。

「よかったらこれをどうぞ。オレのチャンネルの公式グッズだよ」

「……ありがとう」

クロエは礼をいい、そのままポケットにしまった。

それを見ていたレアがはやく本題にはいりたそうに、きりだす。

「先日、私が彼氏の**アンドレ**とデートでここにきたの。それで、庭園の美しさに見惚れてる間に彼ったらいなくなっちゃって」

「うんうん、それで?」

「お城のなかへ先にはいっちゃったんじゃないかと思っていってみたの。そうしたら、大回廊のむこう側で、彼が白い服をきた女の人についていくのを見たのよ」

「なるほど。ということは誘拐だ。……って、大事件じゃないか!」

豪は事の重大さに、すこし遅れて驚いた。

「このこと、警察には?」

すかさず未知人が口をはさむと、クロエが申し訳なさそうな顔をしながら一歩前へでた。

「まだ通報はしていないんです。というのは……」

「この城にでる、幽霊の仕業だと疑っているからですね？」

未知人がたずねると、クロエとレアはそろってコクンとうなずいた。

謎の存在による失踪事件。

のこされた者の辛さは未知人もよく知っている。

一瞬、さらわれた母のすがたが脳裏をよぎった。

「ちなみに、レアさんのボーイフレンドをさらった女性の特徴は、白い服以外におぼえていますか？」

未知人が眼光鋭くたずねる。

するとレアは「うーん」と小首をかしげる仕草を見せてから答えた。

「たしか、私と同じ**ブロンドヘア**だったわ」

「……そうですか」

「未知人。そろそろ日が暮れる。とりあえず現場にいってみないか？」

豪ははやくなかを見たいといった様子で、ソワソワしながら未知人にいった。

「わかったよ。それじゃあ、ええと……おふたりはどうされますか？　できればレアさんにはもっと詳しくお話を伺いたいんですけど」

「いいわ。案内するわね」

　するとクロエが申し訳なさそうにいう。

「ごめんなさい。私は用事があるので、ここで……」

　そうして双子の内、レアだけが同行することになった。

「では、さっそくなかにはいりましょう！　あ、ご安心ください。現在この城は、とある資産家が管理しているそうですが、わたしの強力なスポンサーをつうじて営業時間外の深夜まで調査してもいいことになっていますからっ！」

　豪がいうスポンサーとは、毎度おなじみ**ゲイトさん**のことである。

　資産家とか政財界みたいな世界を動かす地位にいる人というのは、そこだけのネットワークがあるらしい。

　そのため、豪レベルの一般人が飛びこんでも門前払いされるようなお願いだって、こうしたルートをつかえば簡単に無理がとおってしまうものなのだ。

いざ、城内へ――一行が歩きだそうとしたそのとき。

「あら、あなたたちまできていたの！」


ききおぼえのある声が未知人の耳に飛びこんでくる。

そして振りかえると案の定、そこには豪と同業のオーチューバー、アンナがいた。

そばにはいつもどおり、執事のアーサーもいる。

「おいおい。まさかアンナも今度の動画でシュノンソー城を撮影しようってわけか？」

「そういうことね。科学絶対主義の名において、幽霊なんていないってことをしっかり証明するつもりよ」

「残念だな。こっちはその幽霊にさらわれた、依頼人の彼氏を捜索するのが今回のミッションなんだ」

「相変わらずそんな非現実的なものの調査をしてるなんて、恥ずかしいとは思わないのかしら！」

アンナが未知人に、こうしてイヤミをいって絡んでくるのも通常運転である。

いいかえせば、その分またいいかえしてくるのでキリがない。

するとそこに豪が割ってはいってきた。

「まあまあ、アンナちゃん。それじゃあこんなのはどうだろう。キミの科学的見地でもって、オレたちの仕事も手伝ってくれないか？」

「えっ、あっ、その……いいのかしら？」

急にドギマギしはじめるアンナを見て、未知人はすこし驚いた。

いつもの高飛車な態度から一変、まるでハリウッドスターに会った一般人のように緊張しているのだ。

「もちろんさ」

「ではっ！　お言葉に甘えてご一緒させていただきますわっ！　あと、ミスター・ゴウ！　あとでサインと記念写真もよろしくてっ⁉」

「仕事がおわったらね。特製のステッカーもプレゼントしよう」

「ありがとうございますですわっ！」

豪のファンとの接し方はなれたもので、まさしく神対応である。

それにしても……と未知人は開いた口が塞がらなかった。

アンナが父のファンだったというのは意外である。

「おいおい、アンナ。科学絶対主義とかいっておいて、父さんのファンってのは一体どういうことなんだよ。この前のテレ湖のときはそんな態度じゃなかっただろ」

「わたしじゃないわっ！　お姉ちゃんがミスター・ゴウの大ファンなのよ！　それでわたしも見てるうちに、有名人だーって妙に緊張するようになっちゃっただけ！」

「へえ、アンナちゃん、お姉さんがいるんだね。お名前は？」

豪がアンナにたずねると、彼女はすこしだけ困ったような顔をうかべ、目を逸らしながら答える。

「……**オリヴィアよ**」

「まさか！　あの毎回すごい投げ銭をしてくれるオリヴィアさん⁉」

「……そういうことね」

「そうだったのかぁ！　それじゃあかえったら、ぜひお姉ちゃんにお礼を伝えておいてくれ！　いつもありがとうって」

視線を逸らしながらコクンとうなずくアンナ。

しかし未知人の目には、アンナがすこし寂しげにしているように思えた。

ともあれ、妙な空気になりつつも、豪に未知人、チラ、アンナ、アーサー、そしてレアという5人と1匹で城内にむかうこととなった。

「さあ、はやくいこう。この調子だと、ひと雨くるかもしれないぞ」

空を見あげながら豪がいう。

つられて未知人も上を見ると、すっかり日は暮れて、月の光を怪しげな黒雲が遮り、夜空をおおっていた。

◆ ◆ ◆

「この城は６人の女性が代々城主を務めていたことから『**貴婦人の城**』ともいわれているんですのよ」

「うんうん。よく調べているねえ」

「科学絶対主義に徹底調査は重要なのですわ！」

豪と並んで歩きながら、アンナが城内をはりきってガイドしている。

オカルトを否定しない豪と完全否定派のアンナ。

そんな主張の対立するふたりが肩を並べているのは妙な光景だ。

そんなふうに思いながら先頭を歩くふたりを見ている未知人。

その隣には、レアがいる。

さらにその後ろにはアーサーがついてきている。

アンナは堂々としたものだが、レアは城内の様子に怖がっているようだ。

それも仕方がない。

今、消灯された城内は暗闇に包まれ、たよりになるのはそれぞれがもつ懐中電灯のあかりのみなのだ。

そんななか、冷えた空気は慎重に歩く彼らの足音をカツカツと響かせている。

「16世紀に建てられたこの城の最初の城主は宮廷の財務長官夫人カトリーヌ・プリソ

◀アンリ3世の肖像画

ネ。次にフランス王アンリ2世に寵愛されたディアーヌ。だけどアンリ2世が亡くなると、正妻のカトリーヌ・ド・メディシスが城をとりあげてしまう。たしか、そんな歴史だったはずだ」

「ミスター・ゴウも事前の知識はバッチリのようですわね」

「あはは、そうだね。それで、4人目の城主となったのが問題の、アンリ3世の妻ルイーズだ。亡くした夫を探し、この城をさまよっている霊こそが、彼女だといわれている」

「ふふっ。よくある話ね。今度も正体を解明してみせるわ！」

「ルイーズさん、寂しいんだろうなぁ」

（父さん、よくアンナと話せるな。微妙にかみあってないってのに……）

騒がしいアンナとひょうひょうとした父を見ながら、未知人は思った。

アーサーにチラリと視線をおくると「肝試しみたいですな」なんて、にこやかに笑っている。

橋上宮殿内の様子

レアの気持ちを考えればそんなノンキなことをいっている場合ではない。

そう思い、未知人は彼女の方を見た。

「なんか、ごめん。キミの彼氏を捜索してるってのに、変な感じになっちゃって」

「ううん。気にしないで。にぎやかなのは私も好きだから」

そんなことを話しているうちに、問題の大回廊に到着した。

『橋上宮殿』ともよばれるこの場所は川をまたぐ橋の上に城が建てられており、白い壁に、白黒の床が美しい。

カトリーヌ・ド・メディシスの時代にはたびたびここでダンスパーティーが開かれたというが、ドレスで着飾った貴族たちがこの場所に集まる様はさぞかし華やかだっただろうことが想像できる。

だが、外は強い雨がふりはじめてきたようだ。

今、響いているのはリズミカルなステップの足音などでなく、バチバチとけたたましく窓を叩く雨音である。

また、ゴロゴロと雷の音もきこえている。

「レアさん、この場所で間違いありませんね？」

豪がたずねると、レアはすこし緊張した様子でちいさくうなずいた。

「よし、ここをすこし調査してみよう。もしかしたら幽霊が現れるかもしれない」

未知人が提案すると、アンナは未知人をキッとにらむと、食ってかかってきた。

「幽霊なんかいないわ。わたしが見つけるのは誘拐犯よ。ただ、もしそうならここに戻ってくる理由なんかないでしょうけどね」

「まあ、それならそれでいい。相手が人間なら何らかの痕跡が見つかるかもしれないだろ。それに何度もいうけど、まだこの世は未知で満ちあふれている。幽霊だって、いないとはいいきれない。現にここで幽霊を見たっていう人もいるんだから」

「そのほとんどは思いこみで説明できるわ。例えば、コンセントの穴や木のウロが、人の顔に見えてくる**『シミュラクラ現象』**や**『パレイドリア現象』**ね」

得意顔でアンナが持論を展開したそのとき、チカチカと閃光がほとばしった。

ガラガラガラ、ピシャーーン！


「きゃあっ！」

レアが思わず未知人に抱きつく。

近くに雷がおちたのだ。

しかし未知人はというと、その瞬いた閃光のなか、大回廊のむこうに人影を見た。

すぐさまそちらの方向に懐中電灯をむける。

すると光の円の端から、スーッと音もなく人影が暗闇へと消えていき、白いスカートの裾と長いブロンドの髪がヒラリとまうのを見た。

「悪いけど、ちょっとはなれて！」

「あっ――」

未知人はレアの身体をグイとどけると、すぐさま大回廊を走りだす。

しかしその分少々出遅れてしまい、人影を見失ってしまう。

（あの動き……走ってにげたようには見えなかった。まるですべるように消えていったけど……）

大回廊の奥までたどりつくと、周囲を見まわす。

しかし誰かがいる気配は感じられなかった。追いかけてきた豪がたずねる。

「どうしたんだ、未知人」

「現れたんだ……白い服をきた金髪の女が」

「なんだって⁉」

するとアンナが息をきらせながら口をはさむ。

「そんなのおかしいわ！　なんでわざわざ誘拐犯がもう一度ここにくるのよっ！」

そのいい分はもっともだ。そこで未知人は考える。

（もしさっき見たのが本物の幽霊だとするならば、この城に伝わるルイーズの霊じゃない。そしてもしレアさんの彼氏・アンドレさんをさらった人間の誘拐犯で、オレたちに幽霊のすがたを見せることだけが目的だったなら……？）

「なあ、アンナ。もしオレが見たのが人間で、走るんじゃなく、すべるように消えたとしたら、どんな方法が考えられる？」

未知人はアンナに、あえて試すようないい方で問いかける。

するとアンナは余裕の顔つきで答えた。

「簡単よ。例えばスケートボードに括りつけた紐をどこかにとおして、それを引くだけでいいわ。車輪の音が多少したところで、雷や川を叩く雨の音にまぎれるでしょうしね！」

「模範解答だよ、アンナ」

そのとき、未知人は床に光る一本の長い糸のようなものを見つける。

「……これは……」

金色に光るそれを未知人が拾いあげると、アンナが急かすようにいう。

「それで、どうするつもり？　こっち側の扉を開ければさすがにわたしだって気がつくわ。つまり誘拐犯はまだこの城のどこかに潜んでいる可能性が高い。おそらく2階か3階の部屋のあたりでしょうね。もし、アンタの推理が正しければ」

「ひとまずそっちはいいだろう。ところでレアさん。あなたの家に普段はつかっていない地下室か、倉庫みたいな部屋はありますか？」

話を振られ、レアはキョトンとする。

だが未知人の表情は真剣そのものだった。

◆ ◆ ◆

――ガチャ。

扉を開け、部屋のなかにはいって電気をつけると、クロエはハッとして立ちつくした。

そこには豪、未知人、そして見慣れない女の子と初老の紳士、そしてレアがいたからである。

「どうしたの、こんなに大勢で。それよりアンドレをさらった幽霊は見つかった？」

「……ええ、見つけましたよ。アンドレさんも、この家の地下室でね」

「え⁉」

未知人が神妙な面持ちで答えると、クロエは動揺する。

そして、奥の部屋からひとりの青年が現れた。

「クロエ……どうしてなんだ？」

「なんのことよ」

アンドレの問いにシラをきるクロエ。

すると未知人が前にでる。

「今回のアンドレさん誘拐事件。シュノンソー城の幽霊はあなただ、クロエさん」

「そんなはずないわ！　なにをいっているの⁉」

すると未知人はシュノンソー城で見つけた金色の糸のようなものをポケットからとり

アンリ３世の妻・ルイーズ▶

だす。

「これはオレたちが幽霊を見た現場で発見したものだ。ブロンドの髪の毛に見えるけど、ポリエステルなどで作られた人工毛だ。特有の光沢があるから、よく見れば違いはすぐわかる」

「ていうか、そもそも金髪だっていうのがわたしたちに違和感を抱かせたのよ」

アンナが一歩前にでる。

すると椅子に座っている豪も申し訳なさそうに補足した。

「シュノンソー城をさまよっているという幽霊は伝説によればアンリ3世の妻・ルイーズだ。でも**彼女はね、金髪ではなかったんだよ**」

「だとしても！　それだけが証拠で私が犯人だっていうのはおかしいじゃない！　金髪の女性なんてこの国どころか世界中にいくらでもいるわ！」

「ウィッグなんでしょう？　その髪は」

「そんなわけ……」

「よく見ればすぐわかるっていいましたよね」

未知人がいうと、ポケットにはいっていたチラがクロエに飛びかかった。

不意を突かれたクロエはそれにまったく反応できない。

チラが彼女の髪をつかみ、引っぱると、バサリと金髪の束が床におちた。

そして外されたウィッグのなかからでてきたのは**赤毛のロングヘア**だった。

これには、アンドレはもちろんレアですらことばにならないくらい驚いていた。

クロエの地毛が赤毛だったことを知らなかった、いや、忘れていたのだ。

「思いだした……そういえば生まれたばかりのころの写真、クロエは金髪じゃなかった。でも、成長とともに金髪になったのよって子供のときに両親にいわれたの。それ以来気にすることなんかなくなったんだ。家族みんなブロンドだから、そういうものなんだろうって」

「……どうして、わかったの？　これまでレアでさえだまし続けてこれてたのに」

クロエが悔しそうな顔を見せる。

するとアンナが得意気に口を開いた。

「あなたたちはどう見ても一卵性双生児でしょう？　でも遺伝学的に相当低い確率では

あるけれど、ブロンド同士の両親から髪色の違う一卵性の双子が生まれることがまれにあるのよ。どう⁉　これが科学的推理よ！」

さらに未知人が続ける。

「そしてキミは、おそらくオカルト自体に興味なんかなかったんじゃないか？　父さんのファンだっていうのもウソだろう？」

「ええっ！　そ、そうだったの⁉」

突然の衝撃発表に豪がショックを受けて飛びあがる。

「だって父さんを前にしたクロエさんとアンナの反応を見たら、一目瞭然だろ。アンナなんてお姉さんがファンだっていうだけで、有名人と話してるって興奮気味だったんだぞ」

「興奮なんかしてないわよっ！」

「わからないじゃないか！　奥ゆかしいファンだっているだろ！」

豪とアンナが口々に抗議の声をあげる。

「はぁ……そして――」

未知人は騒がしいふたりを無視してクロエにむきなおる。

「キミはウィッグをした状態でアンドレさんを誘い、連れだした。彼はレアさんだと簡単に信じたはずだ。そして自宅の地下室にとじこめることに成功した」

するとアンナも口をはさむ。

「その犯行を隠すために、よく知りもしないでシュノンソー城の幽霊のウワサを利用しようとしたんでしょう？」

「レアさんに警察へ通報させないため、キミは幽霊の仕業だと信じさせる必要があった。そこで目をつけたのが、人気オーチューバーの父さんだ。幽霊のすがたを見せて、存在のお墨付きを得れば、レアさんもあきらめると思った。これが真相だ！」


「Q．E．D．証明終了ね！」


言いおわると同時にアンナはビシッとクロエを指さす。

だがふと我にかえると未知人とのあまりのシンクロっぷりに、なんだか恥ずかしくな

り、すぐさまだした指を引っこめた。


すると、ここまで静かに話をきいていたアンドレがクロエの前にやってきた。

「理由をきかせてくれないか？　どうして僕を誘拐してとじこめたんだ」

「……全部レアのせいよ」

観念したのか、クロエがポツリポツリと語りはじめる。

「私、この赤毛が原因で幼い頃からずっと仲間外れにされてるような気持ちだった。家族のなかでどうして私だけって。それで、物心ついたときからずっとウィッグをつけて生活するようになったの。そんな私の気持ちを理解していた両親も、なにもいわなかったわ」

「そんなことが……」

予想もしない話に、思わずアンドレの口からことばがもれる。

アンドレだけではない。

この場にいる誰もが絶句した。

クロエの心情を思えば、いかに彼女が辛かったかはかんたんに想像できる。未知人も豪という理解者がいなかったら、どうして自分だけ、と他人を恨んでいたかもしれない。

けれど彼女は家族のなかで、ずっとひとりぼっちのような思いを誰にも相談できないまま、生きてきたのだから。

「私はレアを恨んだ。双子なのに、なんでレアじゃなかったのって。でも、それだけなら胸の内に秘めておくつもりだったの。だけど――」

「好きになってしまったんですよね。アンドレさんのことを」

未知人がきくと、クロエは涙をこぼしながらうなずいた。

「アンドレはもうレアとつきあってた！　だから奪ってやろうと思ったの！　自分を偽って生きることを強いられてきた私だけど、この恋心だけは偽れないから！」

そしてとうとうクロエはその場に泣き崩れてしまった。

「でもダメだった！　レアとしてアンドレを誘いだした私は、クロエとして告白することも、本当のことを伝える勇気もだせなかったの！　だからずっとレアのフリをしてた……**ごめんなさい……ごめんなさい……ああああああっ！**」

「……結局、警察沙汰にはしなかったようね」

「はい。アンドレさんが、クロエさんの境遇に同情なさったようで」

かえりのプライベートジェットに乗りながら、アンナとアーサーが話している。

アンナの手には豪からもらったサイン色紙とステッカー。

スマホにはツーショット写真もおさめられていた。

「喜んでくれるかな……お姉ちゃん」

「ええ……きっと、オリヴィアさまでしたらご自分のことのように喜んでおられるでしょう。……**天国**で」

「それだって非科学的な考え方だけど……そうであってほしいわね」

思わずこぼしたアンナの一言に、アーサーだけでなく乗務員一同が胸のつまるような思いだった。

②ヒマラヤのイエティ、母の愛

ネパール

昔々のこと。

ネパール東部、サガルマータ（ヒマラヤ）の山麓に広がる、クーンブ地方にジャガイモで有名な、当時の名前でアルガオンという村があった。

そこにはシェルパ族という村人たちが住んでおり、働き者で、毎朝畑にいっては農作業をし、夕方遅くにかえる生活をおくっていた。

しかし、そんな彼らの営みを山の岩場から見ている者がいるとは、まだ誰も知るよしもなかった。

ところがある日のこと。

村人たちが騒然となるできごとがおこったのである。

「大変だ！　俺たちの畑が荒らされてるぞ！」

「そんな！　せっかく育てたジャガイモがだいなしだ！」

「野生のヤク（牛の一種）にやられたんじゃないか？」

「いや、まて。俺たちの農具も転がっているぞ」

「まさか、しまってあったのをわざわざだして、つかおうとしたのか!?　ヤクがそんなことするもんか」

◀ヤクという牛の一種。ネパールでは絶滅したとされていたが2014年に再発見された。

どんなに考えても、畑を荒らした犯人の見当はつかない。

そこで村人は夜中まで、当番を決めて畑にのこり、見張ることにした。

すると数日後。

ガサッ、ガサッ。

物陰に隠れていた村人が、畑で物音がするのをきいた。

幸い、満月のあかるい夜だ。

彼が目を凝らして見てみると、なにやら熊のように大きく、人のように二足歩行する影が見えた。

しかし服はなにもきておらず、その体は硬そうな茶色い毛でおおわれている。

それも1匹どころではない。

何匹もの群れでやってきている。

そんな見たこともない怪物が村人たちの農具を手に、ある者は鍬で土を掘りかえし、ある者は鎌で草を刈っているのだ。

また、しばらくすると、これまた倉庫にしまってあった村人たちの地酒・チャンをだしてきて、ガブガブと飲みはじめたのである。

驚いた村人はすぐさま村に戻り、皆にこのことを報告した。

「あれはきっと、食べ物があると思って俺たちのモノマネをしているんだ。だけどあいつらは畑仕事なんてわからないから、ただ荒らすだけになっているのだろう」

作物がとれなくなってしまっては、村人たちは食べていけなくなってしまう。

◀撮影されたイエティとされる写真

このまま黙っているわけにはいかないと、村人たちは怪物に岩場の生物という意味の『イエティ』と名前をつけ、さっそく対策を練ることにした。

そして彼らはイエティの『**人間のモノマネをする**』という習性を活かすことにした。

まず、水をいれた瓶を何本か用意する。

そして別の瓶にはイエティの好物だと思われるチャンをいれ、そこに毒を加えた。

さらに木製の無害な武器と、鉄製の鋭い武器も用意した。

そして翌日、作戦は決行された。

畑にでたシェルパの若者は、木製の無害な武器で互いに叩きあい、暴れまわった末に倒れて死んだフリをする。

さらにほかの者は瓶の水をグイグイと飲んだ。

きっとイエティは山のどこかから見ているはずだ。

これを上手くマネてくれれば、村人たちの作戦は成功である。

そうして、その晩。

倉庫に鉄製の鋭い武器と毒をいれたチャンをおいておくと、山からやってきたイエティは村人たちがしていたようにモノマネをした。

互いに叩きあい、毒を飲んで、おおくのイエティが死んでいったのである。

ただ、見張りの村人は目撃していた。

1匹の腹の大きなイエティだけは、これに参加せず、はなれたところから見ていただけだったのだ。

おそらくあれはメスのイエティで、妊娠していたため、モノマネには参加せず、また酒も口にしなかったのだろう。

おおくのイエティが死んで動かなくなると、そのメスのイエティは寂しげに山へと去っていった。

それ以来、人里にイエティが現れることはなくなったという。

ただ、それから現在にかけて、雪におおわれた標高の高いヒマラヤの山奥ではイエティのものと思われる足跡や、すがたがたびたび目撃されている。

そしてそれは、あのとき生きのこったメスのイエティの子孫であると、このあたりの土地では信じられている――。

「うへぇぇぇ、やっとついたぁぁぁぁぁ……」

「わかってはいたけど、険しい道のりだったな……」

今、未知人と父・豪はネパール東部にある**ナムチェバザール**という村の入り口の門をくぐった場所にいた。

日本から**ネパールの首都・カトマンズ**まで飛行機で8時間ほど。

そこから国内線に乗りかえて、エベレスト街道の出発点・ルクラという町までおよそ30分。

それだけならたいしたことはないのだが、ルクラの標高は２８４０メートル。

そこから標高３４４０メートルの場所にあるナムチェバザールにいくためには、高山病に気をつけながら2日間かけて登山しなくてはならないのだ。

当然空気は薄く、気温は低い。

普段世界中を旅なれている未知人と豪でも、この標高と寒さはこたえたようで、息をきらしている。

比較的高地に生息しているチンチラのチラでさえ、ここまでくるとさすがに少々キツ

◀雪山で撮影されたイエティとされる写真…

そうである。

なぜ今回、こんな過酷な旅をすることになったのかというと、この土地に住むシェルパ族の間で古くから語り継がれている伝説の未確認生物・イエティの調査依頼を受けたからである。

最近、シェルパ族の少女が目撃し、その後も登山客の間で見たという情報がおおくあがっているというのだ。

そこで豪と未知人は、しばし門の近くで息を整えると、イエティを見たというシェルパ族の少女との待ちあわせ場所であるシェルパミュージアムにむかった。

ナムチェバザールは山奥の村といっても、活気に満ちあふれている。

電気がとおっており、カフェ

やレストラン、土産物屋やロッジ、整備された道路が敷かれているなど、信じられないほど充実した村だ。

銀行のATMまであるという。

また、ネパールが中国とインドに隣りあわせとなっているため、両国に影響を受けた建築物がおおく見られる。

ふたりがシェルパミュージアムについてみると、一見、そんなお寺か民家のように見える素朴な建物だった。

なかにはエベレスト登山の歴史がわかる展示物などがあるらしい。

登頂に成功した有名な日本人登山家の写真もあるという。

すると頭に子ザルを乗せた、ひとりの少女がたどたどしい英語で豪に話しかけてきた。

「ミステリーガイド・ゴウさんですか？」

「はい、そうですよ。とすると、キミが依頼人の……」

「**ディピカ**です。この**子ザルはシェカル**」

そう名乗った少女は、一般的なネパール人と違い、どちらかというと日本人に近い顔立ちをしている。

これが彼女たち、シェルパ族の特徴のようだ。

ちなみにネパールでは、猿はさほど珍しくない。

野生の猿が首都カトマンズでさえ、そこらへんを普通に歩いていたりする。

「サルって飼えるんだなあ」

豪が感心しながらいうと、ディピカは手のひらをパタパタさせた。

「いいえ。普通は飼ったりしないんですけど、この子はウチの近くで見つけて、弱っていたので、丈夫な大人になるまで育てることにしたんです。最近、ようやくここまで元気になって」

そのとき、豪の腹が「グゥゥ」と鳴った。

それをきいたディピカはクスリと笑っていった。

「食事をしながらお話しましょう。ウチ

にご案内しますね」

「おおっ、ありがとう！」

豪は手を叩いて喜びながらディピカについていった。

そして未知人は、自分の父のことながらすこし恥ずかしく思いつつ、後を追った。

「うんうん、やっぱり日本で食べるネパールカレー屋さんのメニューとは全然違うなぁ！」

そういいながら豪はおいしそうに、食事を次々と口に運んでいった。

ネパールの一般的な食事は**『ダルバート』**という定食のようなセットからなる。

ダルとは豆のスープのことで、これをバート（米）にかけ、混ぜて食べる。

インドほど唐辛子はつかわないので、カレー味だがマイルドな印象だ。

それにタルカリとサーグという野菜中心の炒め物のおかずにアツァールという辛口の

ネパールの一般的な食事
ダルバート▶

漬物がついてくる。

　サルのシェカルにも、薄味に調整したダルバートがだされると、地元の人が食べるのと同じようにダルをバートにかけて手でよく混ぜ、そのまま口に運んでいる。

「へえ、上手に食べるもんだ」

　豪と未知人は感心しながらその様子を見ていた。

「教えてはいないんですけど、私たちがしているのを見て、マネしたんでしょう」

　ディピカがそう説明していると、彼女の母親もかえってきた。

「お邪魔しています」

「ああ、話はきいてるよ。ゆっくりしていっておくれ」

　簡単な挨拶を済ますと、ディピカの母も話に加わった。


　食事をおえたシェカルは空になった食器をもってキッチンの方に運んでいく。

　それを見ながら、ディピカの母はいう。

「ウチの子は働き者でね、私が仕事の間、家事はひととおりやってくれるんだ。そうしたら、いつからかシェカルもおぼえてね。今じゃ洗い物や簡単な掃除くらいは自分でやるんだよ。普通、サルってのはそんなに人のモノマネをするもんかねぇ」

それをきいた豪は感心する。

「毎日こんなにおいしい食事を食べさせてもらって元気になったから、シェカルも恩がえしをしてるんだろうなあ！」

「ふふ、そうかしら。でもはじめて見たときは私もお母さんも驚いたのよ」

「本当は親元にはやくかえすのが一番なんだろうけどねぇ。はなればなれじゃ、親ザルも心配してるだろうに。でも子ザルを厳しい山に1匹で放すわけにもいかないしねぇ」

未知人はディピカの母のことばをきいて、すこし胸が苦しくなった。

自分の母のことを思いだしたのだ。

「いやぁ、きっとすぐに丈夫な大人に育ちますよ！　だってオレも、**山登りして疲れた体がダルのおかげでダルくない！　これをバートにバーっとかければ、**丈夫な体が作れそうだもんな、未知人！」

「……それで、本題だけど」

未知人は豪のダジャレを無視して、食事をしながらディピカにたずねた。

「キミがイエティを見たときの状況を詳しく話してくれないか」

「はい、いいですよ」

ディピカは洗い物をおえて戻ってきたシェカルを撫でてやりながら微笑む。

「といっても、そんなに特別な状況ではありませんでした。観光できていた外国人をエベレストが一番キレイに見える場所まで案内して、そのかえり道に獣が遠吠えするような声がきこえて……。それで、そっちを振りかえったら、**二本足で立っている茶色い毛むくじゃらの、2メートルはゆうに超えるほど大きな生物が遠くに見えたんです。**私はすぐにイエティだと思いました。お父さんに伝説はきいていいましたから」

「それで、どうしたんだ」

「それだけです。しばらく見てたんですけど、そのうち岩場の方に去っていってしまったので」

「なるほど……」

シェルパ族のイエティ伝説は未知人もあらかじめ予習してきている。

また目撃情報がでるようになった歴史も古く、これまでに何度も捜索隊がエベレストを登った。

世界中にその存在が広く知られるようになったのは1921年、イギリスの**チャールズ中佐**が巨大な足跡を発見したことによる。

「明日、キミが見た場所へ案内してくれないか?」

「ええ、もちろん」

そういって、ディピカはニコリと微笑んだ。

◆◆◆

次の日―――。

ディピカの案内でイエティらしき生物と遭遇したポイントにつくと、さっそく未知人がカメラをまわし、豪の撮影をはじめた。

「はいっ、世界の謎にせまるミステリーガイド・ゴウです! みなさんは、「霊長類タ

ネパールと中国の間にある
世界最高峰の山エベレスト▶

イプ」の未確認生物というものをご存知でしょうか……。有名なところですと、イエティ、ビッグフット、サスカッチ……これらの旧人類の生きのこりとされている未確認生物の伝説は世界中に散らばっています！」

豪は緊迫した表情でカメラにむけて話す。

「というわけで、今回はヒマラヤから**イエティ**の情報をお届け！　見てください、このエベレスト！」

豪が指さす先に未知人がカメラを振る。

すると画面には雪のかかった雄大な山々が映しだされる。

「オレががんばって登山したおかげで、視聴者のみなさんはおうちで**茶でも飲みながら、こんな景色が見れるわけですね。まさに、家ティー！**」

すると、未知人のもつカメラがゆれて映像が乱れる。

未知人に今のダジャレがウケたわけではない。

未知人の頭に乗っているチラが腹を抱えて「チチチチッ！」と笑って振動がおきたのだ。

未知人は無言で頭に手をやると、チラをつかんでポケットにいれた。

するとチラは顔だけだして、撮影の様子を見続ける。

その一連のやりとりが微笑ましく映ったらしく、さすがに日本語のダジャレはわからないものの、遠くから見ていたディピカもクスクス笑っていた。

そんな彼女の頭にはきょうもシェカルが乗っている。

「よし、オープニングはこんなもんだろう」

豪が満足気にいって、撮影は一度中断した。

そして未知人がディピカにいう。

「ここでしばらくまってみるよ」

「私もつきあいますね」

「いいのかい？」

「ええ。もう一度、見てみたいもの」

そうして、青々とした大空の下、3人と2匹はシートをしき、まるでピクニックにでもきたように、くつろいでまつことにした。

広い山のどこに住んでいるのかがわからない以上、気長に現れるのをまつしかないのだ。

豪と未知人はディピカが用意してくれたお弁当を食べながら、雑談して時間をつぶした。

「イエティの研究はすでにかなり進んでいてね。2012年、イギリスのオックスフォード大学とフランス、ドイツにある倫理博物館が各国の霊長類型未確認生物のものとされている毛皮のDNA鑑定をしたんだ」

「それで、どうなったの?」

「ほとんどの国で提供された毛皮はその土地の、ごくありふれた動物のものだったそうだよ。**ここ、ネパールからイエティのものだと提供された毛皮も野生のカモシカで間違いないとされた**」

豪が解説すると、ディピカはすこしつまらなそうな顔をした。

「じゃあ、やっぱり私が見たのもそういう大きな動物で、イエティは伝説のなかだけの生物なのね」

だが、未知人はそれをきっぱりと否定する。

「そうとは限らないさ。この話はそれだけじゃおわらない」

するとディピカが興味深そうに未知人の顔をのぞきこむ。

その反応を見て、未知人は饒舌になった。

「同じ研究でインドとブータンから提供された化石の標本は驚きの研究結果をもたらしたんだ。それは、まったく未確認の熊の一種だった。**ヒグマとクロクマの混合種、もしくは進化の過程で分岐する以前の種類だと証明されたんだ。**これは2017年にも英国王立協会で発表されている」

「イエティは熊だったってこと……？」

「それもまだ断定はできない。インドやブータンではかつて生きていたその熊をイエティとよんだのかもしれない。それに、毛皮でおおわれた巨大な生物という意味で熊と混同されながらイエティとよばれてきたもののなかに、シェルパの伝説で語られている旧人類のような霊長類がいる可能性もゼロじゃない。まだ見つかってないだけでね」

「そうなのね」

「ちなみにイエティがたびたび白い毛皮だといわれているのは、**インドの物語に登場する白い猿の王・ハヌマーン**と混同された結果だ。目撃された季節によっては雪で白く見えることもあったかもしれないけど……」

未知人が得意気に語っていると、そのとき。

キィーーッ！　キィーーッ！

ディピカの頭に乗ったシェカルが興奮しながら鳴き声をあげ、あたりをキョロキョロと見まわしはじめた。

すると遠くの山で、それに反応するかのように獣の鳴き声がかえってくる。

ハヌマーンはインド神話においては猿の神様ともいわれている▶

グォォオ！　グォォオ！

「この鳴き声……あのときと同じ――」

ディピカがつぶやいたのを未知人の耳はききのがさなかった。

キイーッ！　キイーッ！

グォォオ！　グォォオ！

（――互いによびあっている？）

未知人がそう思った瞬間、シェカルがディピカの頭から飛びおり、駆けだした。

「父さん、追いかけよう！」

「あっ、未知人！」

カメラを手にとり、未知人も走った。

だが、すぐに視界がグルリとまわる。

ここが標高３４４０メートルを超える山地だということを忘れていたのだ。

その高さは標高３７７６メートルの富士山の９合目にも匹敵する。

高山病――。

気圧と酸素濃度の低い高所では最も気をつけなければいけないものである。

その症状はめまいや吐き気、立ちくらみなど。

酷くなると呼吸困難や脳にむくみが生じて意識不明になってしまうこともある。

急に走りだした未知人もその例にもれず、その場で倒れ、動けなくなってしまったのだ。

獣の唸り声のような遠吠えにむかって、シェカルはどんどん遠くはなれていく。

そして遂には見えなくなってしまった。

「見失ったか……」

豪が未知人を抱きおこしながら悔しそうにつぶやいた。

しかし、ディピカはすこし安心した様子で、シェカルの去っていった方向を見つめていた。

「よかった……家族に会えたのね」

「ディピカ。ちょっとききたいんだけど」

未知人がたずねる。

「前にイエティらしきものを見たとき、シェカルは連れていた？」

「いいえ。だってあのときはまだ元気になっていなかったから」

「……そう」

それをきいて、未知人は推理した。

人間のモノマネが上手なシェカルは母とはぐれたイエティの子だった可能性がある。

そして、ディピカもそう信じていたのではないだろうか。

だから彼女はミステリーガイドに調査を依頼した。

自分たちなら、未確認生物だって見つけられるかもしれないから。

だけど、今回に限っては、未知人たちはきただけでたいしたことをしていない。

最後には結局、母と子の絆が再会を果たさせたに違いない。

だが、もしそうだったとしても、良いことができたと未知人は思った。

シェカルは母のもとにかえることができたのだから。

「……かえろうか、未知人」

「……ああ」

すこし休み、なんとか動けるようになった未知人は、父に促されると自分の足で歩きだした。

すると、遠くの山から動物の遠吠えがきこえてきた。

キィイイイーッ！

そちらをむくと、エベレストの雪がない露出した岩場に茶色の毛皮の生き物がちいさく見えた。

未知人は親指を立てて、その腕をそちらに伸ばす。

そして両目を順にウインクして、対象がどのくらいズレて見えるかを計測した。

本来は、その対象物との距離を測る方法である。

しかし距離がだいたいわかっていれば、対象の生き物の身長も推測できる。

そして導きだされたのは、その生き物が2メートルを超えるほどの巨体だということであった。

（……もう、母さんからはなれるんじゃないぞ）

未知人は心のなかで、シェカルにむけて強く願った。

3

妖怪モシナの呪い

台湾

1998年3月。

葬儀のあと、ありし日の故人を懐かしんで、一家はスマホに映った動画を観ていた。

それは、ハイキングにいった山のなかで撮られたもの。

せまい山道を、総勢10人ほどの家族や親せきたちが、はしゃぎながら歩いている。

なかには、スマホのカメラにむかって、おどけてポーズをとる者もいた。

しかし、たて一列になった人びとの、いちばん後ろを歩く人物のすがたが画面に映しだされたとき、一家は悲鳴をあげた。

「キャー、何これ!?」

映っていたのは、身長140センチほどの、赤い民族衣装をきた人物だった。

一見すると、少女のようだが、肌の色は青みがかった灰色で、眼球全体が紺一色におおわれている。

◀日本のカッパ。
人を水中に引きこみ溺れさせたり、
尻子玉を抜いて殺したりする。

この世のものとは思えない、不気味なすがただ。

「モシナだ！」

「こいつは、妖怪モシナにちがいない！」

一家は、ふるえあがる。

これは、**台湾の台中市**で、実際におきたできごとである。

動画に映っていた赤い服の少女は、台湾に古くから伝わるモシナといわれている。

モシナは、山にはいった人間にイタズラをしかけたり、だまして道に迷わせ、どこかへ連れていってしまう妖怪だ。

そのすがたは、小猿のようだとも、赤い服の少女のようだともいわれており、証言はさまざま――。

日本のカッパに似ているが、恐ろしい一

面もある。

モシナに連れ去られた人間は、何キロもはなれた場所で発見されることもあるが、必ずしも生きて見つかるとは限らない。なかには遺体となって発見されたり、そのまま行方不明になってしまう者もいる。

さらに恐ろしいことには、モシナにとり憑かれた人間は、その呪いによって、死ぬか、不幸になるといわれている。

ハイキング動画にモシナが映りこんだ一家も、ひとりが亡くなったあと、のこされた家族にも次々と不幸が襲いかかったという。

モシナによる事件は、決して過去のものではない。

西暦2000年をすぎた今でも、台湾の各地でモシナによるさまざまな怪奇事件がおき、ニュースで報道されているのだ。

「**マコ**、弁論大会、優勝おめでとう！」

テーブルをはさんでむきあった天堂マコと従姉の明日香は、グラスをあわせ、乾杯した。

ここは、**台湾**。

主要都市の台北から車で1時間ほどのところにある九份という町だ。

細い路地の階段にそって建つ古い館には、無数の提灯がともり、ノスタルジックな風景がひろがっている。

マコたちがいるのは、館の一角にあるレストラン。

窓からは、夕暮れの海と山の絶景が見える。

「ほらほら、遠慮なく食べて」

テーブルに並んだご馳走をさしながら、明日香がマコを促した。

サツマイモのでんぷんで作られた、ぷるぷる食感のおだんご、バーワン。

口のなかでとろけるほどの、ほろほろのお肉がはいった、牛肉麺。

◀牛肉麺。
台湾の代表的な麺料理のひとつ。

シアオヨウクン
小油坑
たいぺい
台北
じょうふん
九份
たいわん
台湾

タロイモとサツマイモを練って作ったモチモチのおだんごに、お好みでシロップやかき氷をかけて食べるデザート、ウエン。

テーブルの上には、台湾のグルメが勢ぞろいしていた。

「いただきまーす！」

と、バーワンにかぶりついたマコ。

「うわあ、おいしい！　ホッペタおちそう……」

「でしょ、でしょ？　この店でいちばんのおすすめなんだ」

目の前の料理をおいしそうに食べるマコを見て、明日香も嬉しそうだ。

明日香は、20歳の大学生。

台湾の大学に留学している。

国際弁論大会に参加するため、台湾にやってきたマコは、親せきのよしみで明日香が住んでいるマンションの部屋に泊めてもらい、あちこち観光にも連れていってもらっていた。

そのうえ、こうして、ご飯もたくさん奢ってもらっている。

「明日香姉さん、ありがとう。何から何までお世話になっちゃって……なんか申し訳ないですね」

恐縮するマコに、明日香は笑いながらいった。

「いいって、いいって。パパからつかいきれないくらいのお金、おくってもらってるから」

明日香の父親は、アパレル系のネット通販会社を経営するお金持ちだ。

将来、父親の会社を継ぐことになっている明日香は、台湾の大学でアジアのファッションの研究をしている。

「ねえ、マコ、あした、大学の仲間と七星山へ一日キャンプにいくんだけど、よかったら、一緒にいかない？」

明日香がマコを誘ってきた。

「えっ、わたしも一緒にいっていいんですか？」

「もちろん！」

「ありがとうございます。わー、楽しみ～！」

登山やキャンプなどのアウトドアが大好きなマコは、ワクワクと胸をおどらせた。

翌日、マコは、明日香の大学の仲間たちと、**七星山**にやってきた。

標高1120メートル。台北市で、もっとも高い山だ。

スタート地点は、小油坑。

ススキにおおわれた登山道の両側には、黒い山肌がむきだしになった部分があり、あちこちから蒸気がモクモクと立ちのぼっている。

七星山では、山に蓄えられた水が地熱で沸騰するため、このような光景が見られるのだ。

「知ってる？　この山にはね、世界最古のピラミッドがあるんだよ」

マコにそう英語で話しかけてきたのは、男子大学生の**チェンルイ**だ。

「七星山は、UFOが頻繁に目撃される場所としても知られてるんだ。台湾の先住民、ケタガラン族は、UFOを崇めていた。ピラミッドは、そのケタガラン族が祭壇として築いたものといわれてるんだよ」

熱っぽく語るチェンルイは、どうやらUFOマニアらしい。

（台湾の未知人だな）

マコは、心のなかで思った。

未知人がここにいたら、さぞかしチェンルイと話が弾んだことだろう。

そんなことを思いながらマコは、「あれがピラミッドだよ」と、チェンルイが指さした小山を、スマホで写真に撮る。

◀小油坑の登山道

「キャアアッ、でたァーーーッ！」

そのとき、明日香が金切声をあげた。

「明日香姉さん、何がでたんですか⁉　も……もしかしてUFO⁉」

「ちがう、虫よ虫‼‼　バッタみたいな虫が足もとで跳ねたの‼」

明日香は、大の虫嫌いだった。

「はは、なんだ……」

UFOの出現を期待していたマコは、ちょっぴり肩すかしをくらったような気持ちになった。

◆　◆　◆

一方、こちらは、東京郊外にある私立学校の中等部。

今は夏休み中だったが、出席日数の足りない未知人は、補習授業を受けていた。

この日の授業は、午前中のみ。

授業をおえた未知人が校舎の外にでると、目の前に、サッカーのユニフォームをきた**前坂進**が立っていた。

進はマコに、一方的な想いをよせている。

いい意味で前むき。

悪くいえば、恐ろしくあきらめが悪い。

フラれても、フラれても、アタックをくりかえし、マコの幼なじみである未知人に対しては、ライバル心を燃やしている。

「いつもと立場が逆だね」

進は、ニヤニヤしながら、未知人に声をかけてきた。

「海外にいっている彼女を、日本でまつ心境はどうだい？　さぞかし心配で胸がつぶれる思いだろう？」

「別に」

未知人は、そっけなく答える。

「マコは合気道の達人で、身体能力が高くて、コミュニケーション能力も高い。オレよりしっかりしているから、心配なんかしてないさ」

未知人は、それだけいうと、その場をはなれていく。

「でもでもでもさ」

と、進は未知人を追いながら、なおも話しかけてきた。

「天堂さん、すっごく可愛いから、今頃、台湾のイケメンに告白されちゃってるかもしれないよ？」

そういったあとで進は、頭をかかえながら、もだえはじめた。

「どうしよう……ボクは、天堂さんのことが心配だぁ！」

そんな進を無視して、未知人は帰路についた。

歩きながら、心のなかでつぶやく。

（そりゃあ、オレだって、マコのことは心配さ。でも、その心配の内容は、前坂が思っ

てるようなことじゃない）

未知人の心にひっかかっていたのは、今朝、マコから届いたメールだった。

《従姉の明日香姉ちゃんや大学の仲間と、七星山にきてるの。ここには、古代人のピラミッドがあって、一説には、UFOの着陸場所だっていわれてるのよ》

マコは、UFOというものをSF映画の産物だと思っている。

しかし、未知人は、本当の恐ろしさを知っていた。

（まさかマコまで……なんてことにはならないよな？）

母がさらわれたときのことを思いだし、未知人は胸騒ぎをおぼえる。

思わずポケットに手をやり、幼い頃、マコにもらったビー玉をギュッと握りしめた。

《七星山の頂上で撮った写真に、変な女の子が写ってたの》

マコから再びメールがおくられてきたのは、未知人が家についた直後のことだった。

メールには、写真が添付されている。

頂上と思しき場所で、マコが撮った写真だ。

写っているのは、マコの従姉の明日香をふくむ、5人の大学生。

大学生たちの横には、**赤い民族服をきた少女**のすがたがあった。

《この子、ぜんぜん知らない女の子なの。写真を撮ったときには、こんな子、いなかったのよ》

マコのメールには、そう書かれている。

よく見ると、少女は、青みがかった灰色の肌をしていた。

目は紺一色で、白目がなく、どう見ても、ふつうの人間ではない。

あまりに不気味な写真なので、マコはこれを、明日香たちに見せていいものかどうか悩んでいるという。

「**父さん！**」

未知人はさけびながら、庭で子供用のビニールプールに浸かり、ビールを飲んでいた父・豪のもとへと走った。

「これ、なんだと思う？」

◀妖怪モシナとされている像

赤い服の不気味な少女の写真を見せ、豪にたずねる未知人。

豪は、写真をしばらくジッと見つめたあと、こういった。

「これは、モシナ……じゃないかな？」

モシナは、SNSなどにも、そのすがたを映した動画などが数多くよせられていて、ネット民にはお馴染みの妖怪なのだという。

「七星山は、UFOが飛来することで知られている山だけど、それと比例して、モシナの目撃情報もおおいんだ」

「つまり、このモシナってやつは、UFOとも関係が深いってこと？」

「まあ、そういっているネット民はおおいな。UFOが地球人を誘拐することはよく知られていることだけど……モシナも人を誘拐するっていわれてるんだ」

モシナのしわざと語られる代表的なできごとに、1972年におきた大学生3人の失踪事件がある、と豪はいう。

大規模な捜索活動にも拘わらず、ついに3人は発見されず、遺体も見つからなかった。

しかし、奇妙なことに、3人のものと思われる3組の箸だけが、地面に突き刺さった状態で、のこされていたらしい。

「ほかにも、80歳の体が不自由なおばあさんが行方不明になった。そしてその5日後に、5キロはなれた場所で発見されたって事件もあるな」

このとき、近くの監視カメラには、このおばあさんが信じられないほどの軽やかな足どりで、山にむかうすがたが映されていたという。

豪が語るモシナ事件は、どれもこれも、つい最近、おきたものだ。

つまり、同じことがマコの身におこったとしても不思議ではない。

未知人は、不安に駆られた。

そこに、マコから、再びメールがきた。

《未知人、どうしよう》

そんな文面ではじまるメールには、一緒に山にいったメンバーが、《次々いなくなってしまった》と書かれていた。

「父さん、のんびりプールに浸かってる場合じゃないよ！」

未知人は、豪にむきなおると、切羽つまった口調でいう。

「飛行機のチケットを予約して！　今すぐ台湾にいこう！　マコを助けなきゃ！」

「お…おちつけ、未知人」

豪は、ビニールプールからあがり、体をふきながらいう。

「今から台湾にむかっても、つくまでには夜になる。飛行機に乗っている間は、マコちゃんとメールのやりとりもできないだろ？」

あわてて台湾へむかうよりも、今はメールや電話で、マコが危険な目に遭わないように、適切な指示をだしたほうがいい、と豪はいう。

「……わかったよ」

豪に諭され、未知人も、いつもの冷静さをとり戻した。

◆
◆
◆

そのころ、台湾の七星山では、マコと従姉の明日香が、山の中腹にはったテントの前で、途方に暮れていた。

5人の大学生のうち、ふたりが、たき火につかう小枝を拾いにいって、戻ってこなくなったのだ。

そのふたりを捜しにいった、もうふたりの大学生も、それっきり戻ってこなかった。

のこったのは、明日香とマコのふたりだけ――。

そのとき、マコのスマホに、未知人から、メールが届いた。

メールを見て、マコは明日香にいう。

「みんながいなくなったのは、モシナの仕業かもしれないって、日本にいる友だちがいってるの」

「モシナ!?」

明日香は、顔をこわばらせる。

台湾に住んで2年になる明日香は、モシナのことをウワサにきいて知っていたのだ。

マコは、山をおりよう、と明日香を促す。

「その友だち……名前は未知人っていうんだけど、その子がね、モシナは恐ろしい妖怪だから、山にいては危険、今すぐ下山して警察に知らせるべきだっていうの。妖怪っていうのはちょっと信じられないけど……」

「いいえ、モシナは本当にいる！」

「えっ……」

「ここ台湾で、モシナは日本の妖怪のような、おとぎ話や伝説の存在じゃないの。実際に事件が色々おきてるのよ」

「そ、そうなんですか……」

マコは驚く。

明日香は、それっきり、だまりこんだまま、うつむいてしまった。

やがて明日香は、ボソリといった。

「みんながいなくなったのは、私のせいかもしれない……」

「えっ、どういうことですか⁉」

「実はね、さっき山の頂上で、木の枝にかかった、可愛らしい帽子を見つけたんだ」

ファッションに目のない明日香は、珍しいデザインの帽子を見て、どうしてもほしくなり、もってきてしまったのだという。

「モシナは、『**赤**』という色に強いこだわりをもってるの。今までに目撃されたモシナも、必ず体のどこかに赤い色があるのよ。赤い目、赤い髪、赤い服……もしかして、この帽子は……」

明日香は、震える手で、ポケットから帽子をとりだす。

それは、あざやかな赤い色をしていた。

「この帽子、モシナの物だったのかもしれない。きっと私がもってきちゃったんで、怒ってるんだわ。それで、みんなを神隠しに遭わせたのかも……。この帽子、もとの場所に戻さなきゃ！」

明日香は、帽子をかえすために、山頂にいくという。

「だったら、わたしも一緒にいく！」

マコはいったが、明日香は首を振った。

「マコは、ここにいて。みんなが戻ってきたとき、誰かいないと困るから」

明日香は、それだけいうと、ひとりでいってしまった。

テントの前に、ひとりのこされたマコは、不安な気持ちで明日香のかえりをまった。


しばらくして、明日香は戻ってきた。

マコは、ほっと胸をなでおろす。

「もう大丈夫よ。帽子はもとの場所に戻してきたから、モシナの呪いは解けるはず」

明日香は、笑顔でいったが、未だほかの４人は戻ってきていない。

「念のため、山をおりて、警察をよんだほうがいいんじゃないですか？」

マコはいったが、明日香は笑って答える。

「大丈夫だよ。みんな、すぐ戻ってくるって」

そのとき、明日香の足もとでバッタが跳ね、ピンクのカラージーンズの膝に跳び移った。

明日香は、そのバッタを無造作に手ではらいのける。

「明日香姉さん、いつから虫が平気になったんですか⁉」

マコは驚いてたずねた。

「いつからって……**たかがバッタでしょ？** そんなもんにいちいち驚いていたら、山歩きなんかできないわよ」

「ちがう……あなたは明日香姉さんじゃない」

マコがつぶやくと、明日香は一瞬、その目を赤く光らせた。

《モシナは、身近な人にすがたを変えて、現れることもある》

さっき未知人からおくられてきたメールの文面が、マコの頭によみがえる。

今、目の前にいる明日香は、ひょっとしたら、モシナが化けているのではないか、と思いはじめるマコ。

（本物の明日香姉さんは、もうすでにモシナにさらわれてしまったのかもしれない……どうしよう？　何か、たしかめる方法があれば……）

このとき、マコの脳裏にうかんだのは、またしても未知人のメールだった。

《モシナは、カッパに似て水に強いが、火や熱には弱い》

マコは、テントにはいると、そのなかにあった点火棒を手にする。

点火棒に火をつけ、その炎を明日香にむけるマコ。

「えっ、何？　マコ、どうしたの？」

おびえて、あとずさったあと、明日香はマコの手から点火棒をとりあげようと、再び近づいてきた。

「そんなの、振りまわしたら、危ないよ。山火事にでもなったら、どうすんの？」

「こないで！　あなたはモシナよ！」

マコがそうさけんだ瞬間、明日香は恐ろしい顔に変わる。

その肌は、見る見る青みがかった灰色に変わり、赤い服をきたモシナのすがたになった。

理解不能な言語で何事かさけんだあと、マコに迫るモシナ。

マコは、あわててにげた。

あとを追うモシナ。

七星山の登山道は、石造りの階段になっている。

その階段を、マコは、もつれる足で駆けおりた。

しかし、モシナは、どこまでも追いかけてくる。

背丈は少女。

顔は灰色がかって、老婆のようにシワだらけだが、あり得ない速さで走ってくる。

足に自信があったマコも、長い階段を駆けおりていくうちに、次第にスピードがおち、息がきれてきた。

（もうダメ。追いつかれる……）

あきらめかけたそのとき、マコの目に飛びこんできたのは、地面からモクモクと噴きだす、真っ白な蒸気だった。

モシナから必死でにげ、登山道を駆けおりてきたマコは、いつの間にか登山口付近の小油坑までたどりついていたのだ。

《モシナは、火や熱には弱い》

マコの脳裏に、再び未知人のメールの文面がよみがえる。

（もしかして、あっちへにげれば……）

地熱で地面が熱せられ、あちこちから蒸気が噴きだしている山の斜面ににげこめば、

モシナは暑さにやられて、追ってこられないかもしれない。

マコは、とっさに考え、登山道を横道にそれて、草におおわれた斜面に足を踏みいれた。

斜面には、ところどころに、土が煮えたぎり、熱い湯気が立ちのぼる場所がある。

汗が噴きだすほどの暑さ。

靴底からも熱が伝わってきた。

マコは必死に耐え、湯気が噴きだす場所を避けながら、走り続ける。

モシナは、執拗にあとを追ってきた。

しかし、そのスピードは、あきらかにおちている。

やはりモシナが熱に弱いというのは、本当らしい。

（このまま、がんばって走れば、にげきれるかもしれない……）

歯をくいしばり、もつれる足でにげ続けるマコ。

そのとき、背後から、獣の咆哮のような、ものすごいさけび声がきこえてきた。


「ギャアアアアアアアアアアーーッ!!!!」


マコのあとを追いかけてきたモシナが、湯気とアブクが噴きだす泥のなかに、誤って足を踏みいれたのだ。

ズブズブと沈みかけ、モシナはもがき苦しむ。

しばらくもがいたあと、モシナは毛むくじゃらの猿のような、黒いシルエットとなって、大きく跳ね、山の彼方へと消えていった。

その様子を、ぼう然と見つめるマコ。

そのとき、一方から、大勢の足音がきこえてきた。

やってきたのは、警察官と、地元のボランティアの捜索隊だった。

日本から、豪が台湾の警察に電話をかけ、マコたちの捜索にむかわせたのだ。

「ダイジョブ、デスカ？」

警察官にカタコトの日本語で話しかけられたマコ。

緊張の糸がきれ、マコはその場で、ワッと泣きだしてしまった。

◆　◆　◆

1週間後。
この日、補習授業がようやくおわり、未知人は教室の外にでて、ノビをした。
スマホを開くと、そこには、マコからのメールが届いている。
《きょう、日本にかえるね》
それを見て、ほっとしたように、顔をほころばせる未知人。
モシナ事件の顛末については、すでにマコから、長いメールが届いていた。

行方不明になっていた明日香と大学生たちは、全員無事、見つかったらしい。

発見されたのは、キャンプをしていた山の中腹から何キロもはなれた場所で、5人はバラバラに見つかったという。

皆、行方不明になっていたときのことは、何もおぼえていないらしい。

救助されたあと、衰弱していた明日香たちは、数日間、入院することになった。

《明日香姉さんがようやく元気になったから、これで安心して日本にかえれるよ》

メールを読みおえた未知人は、スマホをとじ、校門にむかって歩きだした。

すると、そこに――。

「未知人！」

マコがポニーテールをゆらしながら、走ってきた。

台湾から帰国したマコは、大急ぎで、未知人に会いに、学校へ駆けつけてきたのだ。

「ありがとう。助かったのは、未知人のアドバイスのおかげだよ」

マコは、未知人の目をまっすぐに見つめながらいった。

未知人も、はにかみながら、その目を見つめかえす。

「まあ、何はともあれ、マコが無事でよかったよ」

未知人は、しみじみとつぶやく。

マコは、感激に目を潤ませた。

ふたりは、しばし互いを見つめ、再会できた喜びに浸っていた。

しかし、そんなふたりの間に、割りこんできた者がいた。

「天堂さん、おかえりなさい！」

それは、満面の笑みをうかべた進だった。

「いやあもう……、天堂さんが日本にいないってだけで、ボクはもう寂しくて。寂しくて……天堂さんロスが止まりませんでしたよぉ！」

未知人をおしのけ、マコにいいよる進を見て、未知人は「やれやれ」と、肩をすくめる。

しかし、こんな光景が見られるのも、マコが無事、日本にかえってくればこそだ。

未知人は、平和な日常のありがたみを、しみじみと感じた。

4 降霊術に秘められたアンナの過去

イギリス

死後の世界は、本当にあるのか……？

この壮大なテーマに、挑んだ人間がいた。

その名は、**ハリー・フーディーニ。**

『脱出王』の異名をもつ、アメリカの歴史上、最も有名なマジシャンである。

フーディーニは、おおくの霊能者のイカサマを暴露して、『サイキック・ハンター』としても名をはせた。

しかし、その目的は、亡き母と交信するためだったといわれている。

母の生前、フーディーニは母との間で、ある合言葉を決めていた。

その合言葉をいえる霊能者がいれば、死後の世界の存在が証明できる――。

イカサマを暴きながら、フーディーニは、本物の霊能者を探し求めていたのだ。

けれど、残念ながら、そうした霊能者は見つからなかった。

「脱出王」の異名をもつ
ハリー・フーディーニ▶

そこでフーディーニは、母との交信をあきらめ、妻との間で合言葉を決めた。自らの死後に、その合言葉をつかって、霊界からメッセージをおくることにしたのだ。


フーディーニの死から、2年後の1928年、11月の夜。

この日、降霊会がおこなわれた。

人びとが息をつめて見守るなか、トランス状態に陥った霊能者のアーサー・フォードは、やがて口を開く。

「ロザベル、信じなさい……」

降霊会に参加していた、ひとりの女は、驚きに目を見開いた。

女の名はベス。

フーディーニの妻だった。

ロザベル、信じなさい――それはまさに、ベスが生前の夫・フーディーニとの間で決めていた合言葉だったのだ。

霊界にいるフーディーニからのメッセージによって、霊能者・フォードは、その合言葉をベスに伝えることができたという。
死後の世界はある、ということが、証明された瞬間だった。

▲降霊術の様子をかいたとされる絵。
降霊術とは呪術・魔術の一つとされており、神霊や亡くなった人間の霊を呼びだし、予言などのメッセージを受けとるものとされている。

ロンドンの繁華街
カデリーサーカス

「ハイ、みなさん、こんにちはー。**セカイの千怪奇ちゃんねる**のミステリーガイド・ゴウでーす！　きょうはここ、**イギリス、ロンドン**からお届けしていまーす。イギリスといえば、心霊大国！　19世紀頃から降霊会がさかんにおこなわれてきました。今、この国で話題を集めているのは、**絶世の美人霊能者、その名もファントム！**　今回は、そのファントムの秘密に迫りたいと思います！　**ロンドンだけに、ドンドン、グイグイ、ジャンジャン、**いってみたいと思います！」

カメラをまわしている未知人の前で、豪がいつもの軽快なおしゃべりをくりだしている。

ふたりがいる場所は、ロンドンの繁華街、ピカデリーサーカスにあるオープンカフェだ。

エロス像の広場のまわりは、観光客や買い物客でにぎわっており、2階だてのバスがすれちがっていく。

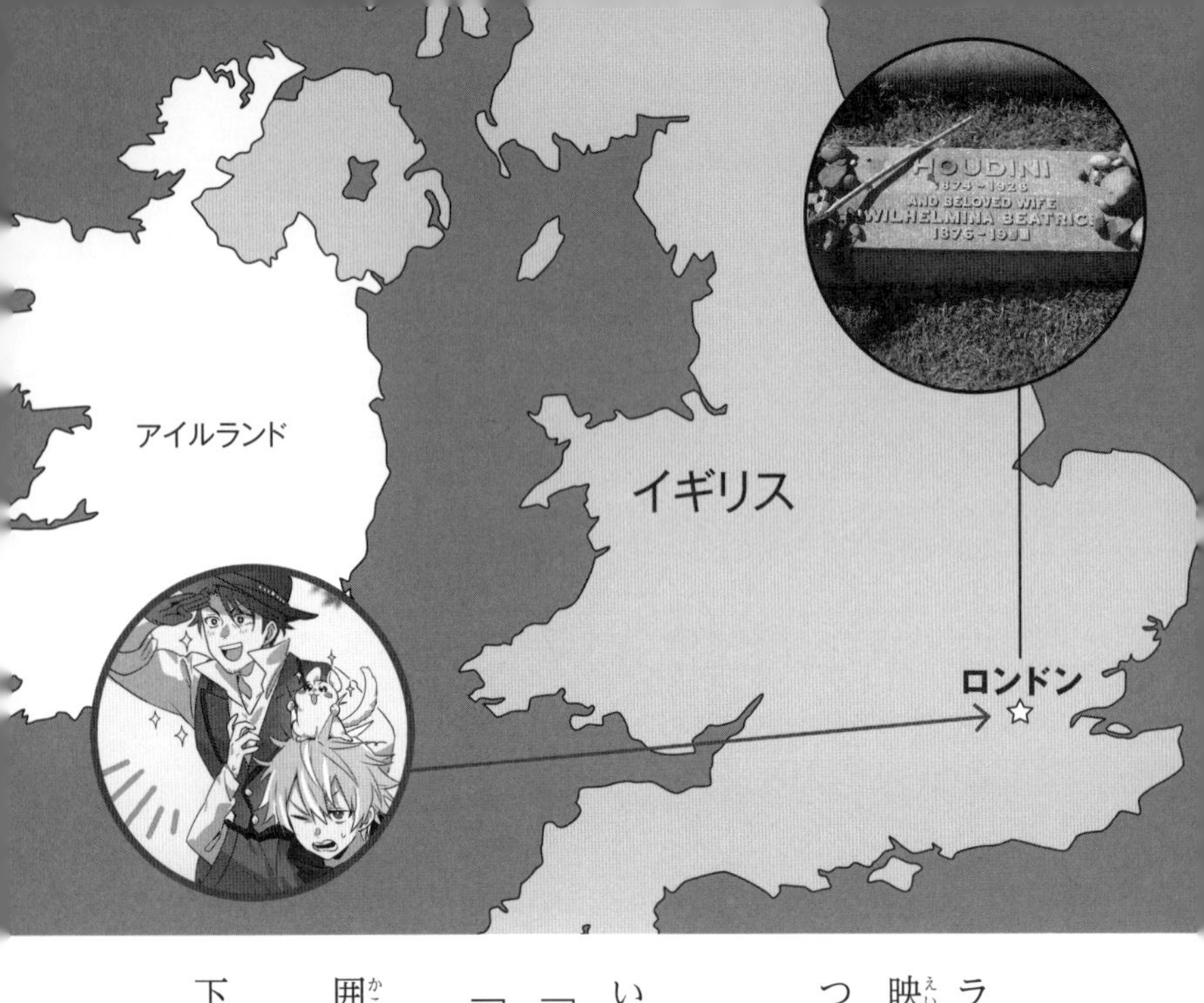

カフェでフィッシュアンドチップスのランチをしながら、動画のオープニング映像を撮ろう、と豪が新たな試みを思いつき、ふたりは撮影をはじめた。

しかし、すぐに後悔した。

日本語と英語の動画を同時に配信している豪には、世界中にファンがいる。

「あっ、ミステリーガイド・ゴウだ！」

「キャー、ステキ〜〜！」

などと大騒ぎする人びとに、たちまち囲まれてしまったのである。

人だかりに怯えて、チラはテーブルの下に隠れてしまった。

カメラを手にした未知人も、集まった

人びとにおしまくられて、窒息寸前。

「父さん、場所を変えようよ。これじゃ撮影は無理だし、ランチも食べられない。第一、カフェにきているほかのお客さんにメイワクだ」

「まあ、それもそうなんだけどな」

ファンにサインをしながら、豪はこういいかえしてきた。

「この店で、ある人と待ちあわせをしてるんだよ」

「ある人？」

「今から取材にむかうところは、どこぞの伯爵夫人のサロンでおこなわれている降霊会だ。ふつうそういう場所には、貴族か大金持ちでもなければはいりこめないだろ？」

そこで豪は、その『ある人』とやらに紹介をたのんだのだという。

（それにしても、『ある人』って、いったい誰なんだろう？　……ん？　イギリス……？

まさか……）

未知人がイヤな予感に駆られたちょうどそのとき、黒塗りのリムジンが店の前に横づけされた。

車からおりてきた燕尾服の人物は、人だかりをかきわけ、未知人たちの前にやってくると、美しいキングズ・イングリッシュでこういった。

「豪さま、未知人さま、おまたせいたしました」

「……はあ、やっぱりね」

未知人は、ため息をつく。

迎えにきたのは、アンナの執事のアーサーだった。

つまり、今回はアンナたちの取材に便乗し、ついでにこちらも隅っこの方で降霊会の撮影をさせてもらう、といったところなのだろう。

「どうぞこちらへ」

アーサーは、群がるファンたちから、豪と未知人を庇うようにしながら、リムジンへと誘導する。

未知人が後部座席に乗りこむと、そこには、座っているアンナのすがたがあった。

「チラチラ〜」

アンナの顔を見るなり、チラは未知人の腕をすり抜け、その膝にチョコンと乗る。

「まあ、可愛い！　この子、わたしにすっかりなついちゃったのね」

アンナは、黄色い声をはりあげたあと、未知人を見やり、仏頂面でいった。

「飼い主の誰かとは大違い」

「可愛くなくて悪かったな」

未知人は、プイと横をむくと、そのままの姿勢でアンナに問いかけた。

「それはそうと、オカルト否定派のキミが、なんでまた降霊会の取材に？」

「もちろん、インチキを暴くためよ」

アンナは、即座に答える。

「ウワサによると、霊能者のファントムは、降霊会に参加した人の身内、あるいは友人、知人、恋人をその身におろして、当事者しか知りえない事実を次々といい当てているらしいわ。でも、わたしにいわせれば、そんなの霊能力でも何でもない。事前に情報を仕入れておけば、誰にでもできることよ」

「はは、相変わらずだね」

未知人は、苦笑する。

アンナは、さらに続けた。

「コレは知ってる？　マジシャン・フーディーニが生前、妻と交わした合言葉を、霊界からのメッセージとして伝えたとされている霊能者、**アーサー・フォード**。実は彼、事前に妻のベスから、合言葉をきいていたってオチがあるの。つまり、インチキだったってこと」

ファントムを名乗る霊能者も、それと似たようなものだろう、とアンナは自信満々に断言した。

19世紀、イギリスを中心にアメリカやヨーロッパの各地でおこなわれていた降霊会は、心霊現象をスリリングに見せるショーだった。

参加者たちは、テーブルを囲んで座り、互いに手をつなぎあう。

やがて部屋のガス灯が消されると、霊能者は自分と気持ちをひとつにするよう、参加者たちによびかける。

アーサー・フォード▶

◀降霊会の様子

鳴り響くラップ音。
吐きだされるエクトプラズム。
空中浮揚する霊能者。

暗闇を飛び交う、死者の魂と思しき光。

しかし、これらの派手な演出は、ほとんどが**トリック**だったといわれている。

ファントムとよばれる怪しげな霊能者をアンナがインチキと断じるのも、そのような歴史をふまえれば、無理のないことなのかもしれない。

未知人たちを乗せたリムジンは、ロンドン郊外の館へとたどりついた。

目の前にそびえ立っているのは、イタリア

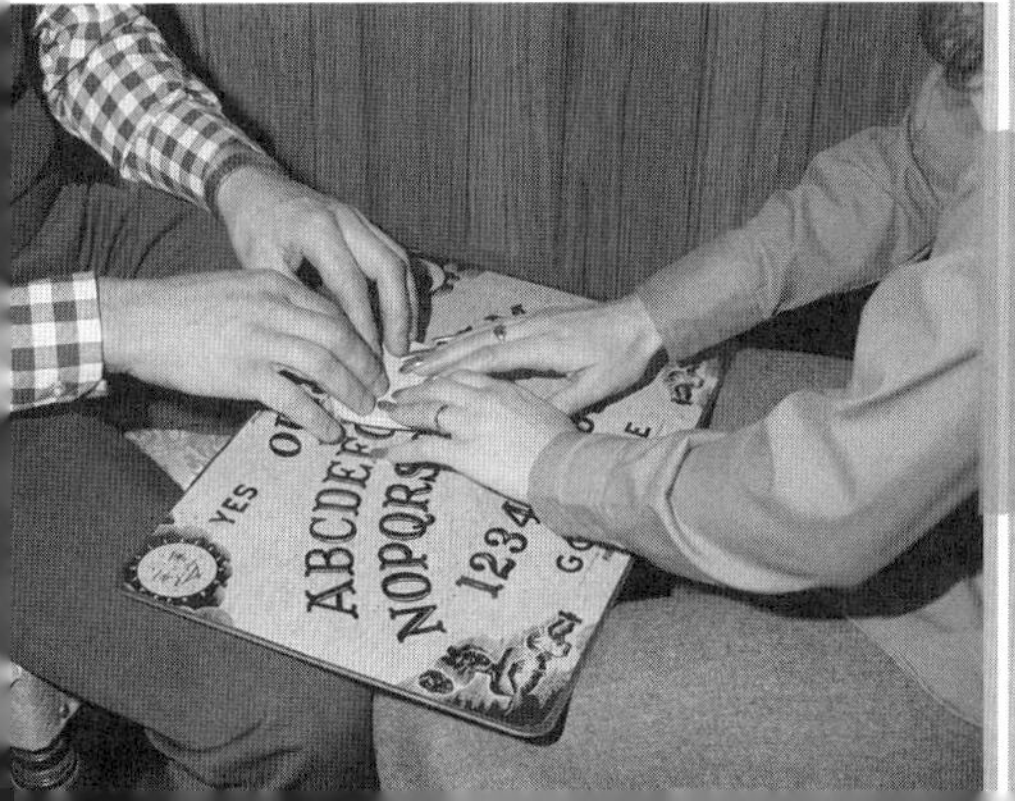

◀ウィジャボードをする人びと。
日本の「こっくりさん」のようなもので、
降霊術の一種とされている。

ネートスタイルの大きな建物。

ゴールドのアクセントを巧みにきかせた室内には、クリスタルのシャンデリアがさがり、大理石の暖炉の上には、肖像画が飾られている。

まさにセレブな空間そのものといった雰囲気だが、そこに集まった人びとの顔ぶれは、それに輪をかけてゴージャスなものだった。

「みなさま、ようこそお越しくださいました。今宵は、みなさまと降霊会をおこないたいと思います。どうぞ、死者との交流を存分にお楽しみください」

サロンの主催者、伯爵夫人がそう挨拶する。

「それでは、ご紹介させていただきます。今世紀最高の霊能者にして、その正体は不明の謎の美女——ファントムさん、どうぞこちらへ！」

伯爵夫人の紹介と同時に、ファントムが部屋に現れた。

黒いドレスをまとったファントムは、アジア系の顔立ちをしていた。

黒髪に、黒い瞳。

赤い唇に、陶器のような白い肌。

「まるでこの世のものではないような」という形容がしっくりくるほど整った、美しい顔──。

「あの顔、どっかで見た気がする……」

ファントムをジッと見ながら、未知人がつぶやく。

すると、かたわらの豪が、デレデレしながらいった。

「うん、そうだな。若いころの母さんに似ている」

(たしかに母さんにも似てるけど……いや、ちがう。オレは、もっと最近、あの顔を見た気がするんだ……)

そのとき、ファントムが集まった参加者たちに、女性としてはやや低めの、しかし、つややかなよくとおる声でこうよびかけた。

「みなさまのなかで、亡くなった方と交信したい方はいらっしゃいますか?」

真っ先に手をあげたのは、太った体つきの男爵だった。

「実は去年の冬、息子を事故で亡くしまして……」

ファントムは、男爵の顔をジッと見つめ、けげんな表情でいう。

「……おかしいですね。あなたに息子さんはいらっしゃらないはずです」

「えっ？　……いやあ、あはは、バレましたか？」

男爵は、ファントムを試すために、ウソをついたのだ。

しかし、そのウソは、すぐに見抜かれてしまったようだ。

バツが悪そうに頭をかく男爵に、ファントムは続けていった。

「息子さんの話はウソでも、去年の冬、あなたは大切なパートナーを亡くされた。名前は、フランケル。あなたの愛馬ですね？」

「ど、どうして、それを……!?」

男爵は、激しく動揺する。

「フランケルはいっています。生前、あなたに可愛がってもらって、とても幸せだった、と。死んだあとも、ずっとあなたによりそい、見守っている……と」

「……そうですか。フランケルのヤツ、そんなことを……」

男爵は、亡き愛馬を思いだし、あふれる涙をぬぐう。

ファントムのことを本物の霊能者だと、すっかり信じたようだった。

ファントムは、男爵にむかって微笑みかけたあと、人びとによびかける。

「ほかに、死者と交信したい方はいらっしゃいますか？」

「はい」

アンナが手を挙げた。

ファントムに挑戦的なまなざしをむけながら、アンナはつかつかと歩みよる。

ファントムは、目の前にやってきたアンナをジッと見つめ、こういった。

「あなたが話したい相手は、7歳のときに亡くなった双子のお姉さんですね？　名前は、オリヴィアさんとおっしゃる……」

「そうよ。そのとおりよ」

未知人は驚いた。

アンナに、姉がいたことは知っていたが、まさか亡くなっていたとは……。

アンナは、ファントムの目を見すえたまま、語りだす。

「わたしは、姉のオリヴィアとの間で合言葉を決めていたの。その合言葉をいえる霊能者がいたら、死後の世界が存在するという証明になる。姉の魂は永遠で、死んだあとも霊界から、ずっとわたしを見守ってくれているんだって信じることができると思ったから」

合言葉をいえる霊能者を探すため、アンナはアーサーにたのんで、世界中から、さまざまな霊能者をよびよせたという。

しかし、そのなかの誰ひとり、合言葉をいえる者はいなかった。

「それからよ。わたしがオカルトなんてものを信じなくなったのは！　霊が見える、霊と交信できる、なんていっている連中は、みんな詐欺師、ウソつきだわ！」

息巻くアンナを見ながら、未知人は思った。

（……なるほど。アンナがオカルト嫌いになった背景には、そんな事情があったのか。

……まるでフーディーニだな）

一方、ファントムは、アンナの話を微笑みながらきいていた。

「……なるほど。あなたは、お姉さんのことが大好きだったんですね」

ファントムは目をとじ、しばらく沈黙したあと、口を開く。

「……私には見えます。7歳のあなたは、タブレットを手にしている。ベッドにいるお姉さんと、何か……動画のようなものを見ていますね？　オカルト系の動画……**「セカ**

イの千怪奇ちゃんねる」

「えっ、オ…オレの動画!?」

豪は驚く。

「ど、どうしてそれを!?」

アンナは真っ赤になった。

ファントムは続ける。

「お姉さんのオリヴィアさんは、不思議なものが大好きだった。あなたとお姉さんは、よく妖精ごっこをして遊んでいましたね？　エアリー……それは、あなたがたが空想のなかで作りだした妖精の名前――」

「……!」

「**『エアリーがそばにいる』**――それが、あなたとお姉さんが決めた合言葉ですね？」

アンナは、驚愕に目を見開く。

どうやらファントムは、いともあっさり、アンナが亡き姉と決めた

◀人間のすがたをした精霊。人と神の中間的な存在とされており、不思議な力をもっているとされている。

合言葉をいい当ててしまったようだった。

「そ、そのとおりよ！　わたしがいいたいのは、ファントム！　どうしてあなたがそれを知ったかってこと――その合言葉は、姉とわたし以外、絶対に誰も知らないはずなのに……」

　アンナは、激しく動揺していた。

「簡単なことです。私は時間をさかのぼって、あなたの過去をこの目で見てきたのです」

「う、うそよ！」

「うそだと思うのなら、いってみますか？　私と一緒に。お姉さんがまだ生きてらした、5年前の過去に――」

「そんなことできるわけが――」

　ファントムの目が怪しく光る。

　同時にアンナは、人形のように固まってしまった。

　見開いたその瞳からは、涙があふれだし、頬を伝う。

　次の瞬間――。

アンナは、バッタリ、床に倒れてしまった。

◆　◆　◆

降霊会で倒れたあと、アーサーはすぐにアンナを家に連れてかえった。

豪も未知人も、もはや取材どころではなく、アンナにつきそい、リージェントパーク近くにある、フィッツジェラルドの屋敷へとむかう。

主治医の診断によると、アンナの体に特に異常はなく、気をうしなっただけだという。

やがてアンナは目を覚まし、一同はホッと胸をなでおろした。

「いったい何があったんだ？」

未知人は、アンナにたずねる。

「あのとき、急に……ぐにゃって、空間がゆがんだの」

「空間が？」

「気がつくと……目の前には、7歳のお姉ちゃんとわたしがいたわ」

ベッドに横たわる7歳の姉は、泣きじゃくる7歳のアンナに、こういっていたという。

「アンナ、泣かないで……おぼえてるでしょう？　私たちの合言葉……」

「エアリーがそばにいる？」

「そうよ。妖精のエアリーは、いつだってそばにいる。そして、この私も……アンナ、あなたのそばにいるから……」

ファントムがアンナを連れていったのは、姉オリヴィアが亡くなる直前の過去だったという。

姉が死ぬ瞬間も、アンナは5年前にさかのぼって、見てきたというのだった。

「あんなことができるなんて……ファントムはふつうの人間じゃない。彼女は、まさしく本物の霊能者……いいえ、エスパーよ！」

アンナは、そう語り、身をふるわせながら再び泣いた。

アーサーは、主治医に命じ、アンナに鎮静剤を処方させる。

しばらくしてアンナが眠りについたのを見届けて、一同は部屋をでた。

屋敷の居間で、アーサーは未知人と豪に紅茶と軽食をふるまった。

「お役に立つはずが、ご心配をおかけするだけの結果になってしまい、まことに申し訳ありません」

アーサーは、深々と頭をさげる。

「いや、いいんですよ。……それより、アンナちゃんにあんな過去があったなんて、驚きました。仲のいいお姉さんが亡くなってしまって、さぞかし悲しかったでしょうね」

豪は答える。

「ええ、それはもう……おじょうさまの悲しみようときたら、はたで見ていても胸がふさがれるほどで……」

アーサーは、そういって、涙をぬぐう。

姉が亡くなったあと、アンナはとり憑かれたように、姉と交信できる霊能者を探すことに躍起になった。

しかし、それが不可能とわかると、悲しみは怒りに転じ、オーチューブの動画でオカルトのウソを暴くことに熱中しはじめたという。

「でも、豪さま、未知人さまと出会ってから、おじょうさまは変わられたのです。生き生きと楽しげなご様子になって……悪態をつきながらも、世界のどこかであなたがたにお会いできるのを心待ちにするようになりました」

アーサーは、このままアンナが姉をうしなった悲しみを忘れ、『今』を生きることに夢中になってくれればいいと願っていたという。

「実をいうと、今回の取材に、私は反対でした。あのファントムという霊能者、ここロンドンに現れてまだ日は浅いのですが、悪いウワサもあって……」

ファントムの降霊会に参加した者のなかには、その後、現実の生活や生きている家族に背をむけ、死者との交信ばかりに夢中になってしまった者もいるという。

「もしや、アンナおじょうさまがそうなってしまわれるのではないかと……私は心配で……心配で……」

アーサーは、苦悩の表情をうかべながら、こめかみに手をやる。

メイドが血相を変え、居間に飛びこんできたのは、そのときだった。

「大変です！　アンナおじょうさまがいなくなってしまわれました！」

「ええっ⁉」

その場にいた一同は、思わず声をはりあげる。

メイドは、1時間おきにアンナの様子を見にいくよう、アーサーからいわれていた。

1時間が経ったので、部屋にようすを見にいくと、鎮静剤がきいて眠っていたはずのアンナが部屋からすがたを消し、ベッドは空になっていたという。

勝手口が開けっ放しになっていたことから、アンナはそこをとおって外にでたのではないか、とメイドは動揺しながらいった。

「ど、どうしましょう⁉　今夜は旦那さまも奥さまもパーティーにおでかけになっていて、おじょうさまのお世話は私が一任されていたのに……」

アーサーも、激しく動揺する。

「アーサーさん、おちついてください。まずは、みんなで手分けして、アンナちゃんを捜しましょう」

「そ、そうですね」

豪にいわれ、アーサーはどうにかおちつきをとり戻した。

そのとき、常人ばなれした聴覚をもつ未知人の耳に、あの『音』がきこえてくる。

ヴーン、ヴーン。


ナゾの光が現れるとき、必ずきこえてくるあの振動音だ。

母がいなくなったときもきこえていた。

「父さん、オレ、ちょっとでてくる」

屋敷をでようとした未知人に、豪はあわててたずねる。

「未知人、おまえ、アンナちゃんの居場所に心当たりがあるのか⁉　もしかして『声』がきこえたとか⁉」

「いや、『声』じゃないけど……くわしいことは、あとで説明する」

未知人は、それだけいうと、屋敷を飛びだしていった。


未知人は、『音』をたどり、走った。

やってきたのは、リージェントパークの北側にあるプリムローズの丘だった。

ヴーン、ヴーン。


振動音は、一段と大きくなり、夜空には、ぽつんと、白い光が見える。

丘の上には、その光を見あげ、立っているふたつの人影があった。

人影のひとつは、ファントムだ。

そして、もうひとつの人影は、アンナだった。


「アンナ!!」

未知人がさけぶと、アンナはゆっくりと振りかえる。

その顔は、魂のない人形のようで……何かにあやつられているのはあきらかだった。

「いくな！　そいつといっちゃダメだ！　今すぐ、そいつからはなれるんだ！　こっちに戻ってこい！」

しかし、アンナは、抑揚のない声で答える。

「なにいってるの？　この人、わたしのお姉ちゃんよ」

「……お姉ちゃん？」

どうやらアンナの目には、ファントムのすがたが姉のオリヴィアに見えているようだった。

7歳の子供のような無邪気な声で、アンナはファントムに語りかける。

「お姉ちゃん、これからはずっとわたしのそばにいてくれるのよね？」

「ええ、そうよ。これからは、ずっと一緒よ」

ファントムは、アンナにむかって優しく微笑み、アンナをギュッと抱きしめた。

そうしながら、顔だけを未知人にむける。

その顔には、勝ち誇ったような笑みがうかんでいた。

「お、おまえは……！」

その瞬間、未知人はファントムの顔をどこで見たのか思いだした。

（そうだ、この顔は……。女のすがたをしていたので気がつかなかったけど……）

目の前にいるのは、女に化けた**幻**ではないか……？

そんな疑いが、未知人のなかにムクムクと頭をもたげてくる。

ルーマニアの森で、未知人を白い霧のなかにとじこめた幻。

ナスカで大勢の若者たちをあやつり、不吉な地上絵をかかせた幻。

ロシアのディアトロフ峠で、ディアトロフがのこしたメモを未知人から奪った幻。

よく見ると、ファントムは、あの幻にそっくりだったのだ。


ヴーン、ヴーン。


光が近づいてくる。

「さあ、一緒にいきましょう」

ファントムがアンナを促す。

コクリとうなずくアンナ。

「そいつは、キミのお姉さんなんかじゃない！」

未知人は、声を限りにさけんだ。

「そいつの名前は幻！　正体は男だ！」

「えっ？」

われにかえったアンナは、ハッとして身をはなし、ファントムをマジマジと見つめる。

未知人は続けた。

「そいつには、たしかに特殊な力はある。だがそれは、霊能力なんかじゃない。人の記憶を読んで、都合の良い幻想を見せる邪悪な力さ！　すべては、いつわりだ！　アンナ、キミが大きらいなウソというヤツを、彼はキミに見せてるんだ！」

「……いつわり……ウソ……」

アンナは、ぼう然としながら、つぶやく。

「アンナ、キミは真実を求めたいんだろ!?　だったらオレたちと同じだ！　こっちに戻ってこい！　真実を求める道に戻ってこい！」

アンナは、うなずく。

決意したように、ファントムからはなれると、未知人がいる方にむかって、駆けだした。

未知人は、駆けよってきたアンナの手をつかんで引きよせ、ファントムから守るように、アンナの前に立ちはだかる。

それを見て、ファントムは「くくく……」と、笑った。

「ま、バレちゃったら、しょうがないな」

ファントムは、あっという間に、そのすがたを変えた。

そして、いつもの軍服すがたの幻に変わる。

「その子をさらおうと思ったのは、見せしめのためさ。ボクが未知人、キミの大切なものをいつだって奪えるんだってことを示すためにね」

「なんだって⁉」

「まあ、でも、ボク自身がこの子に興味があるわけじゃないから、きょうのところはキミにかえしておくよ」

幻は、そういいながら、未知人にまなざしをむける。

口もとには笑みをうかべているが、目は笑っていなかった。

「ただ、これだけは忘れないでくれ。キミは、ボクには抗えない。その支配から、ぬけだすこともできない。永遠にボクたち『神』に服従するしかない、人類の一員だってことを――」

いいおわると、幻の体が宙にうく。

ヴーン、ヴーン。

轟音とともに迫りくる巨大な光――そのなかに吸いこまれていく幻。

次の瞬間、光はアッという間に遠ざかり、見えなくなる。

今までのできごとが夢だったかのように、見あげる未知人とアンナの頭上には、のどかな星空が広がっていた。

5

ジョージア・ガイドストーン

アメリカ合衆国

1979年6月。

アメリカ・ジョージア州エルバート郡にある石材建築会社イグニト・カンパニーに奇妙な発注がよせられた。

依頼主はR・C・**クリスチャン**と名乗る素性のわからない年老いた男性。

依頼内容は、巨大なモニュメントを建造してほしいというものだった。

クリスチャンが細かく書かれた注文書をさしだすと、社長のフェンドリーは思わず目を疑う。

というのも、8つの異なる言語で彫るように指示された10のメッセージというのが、あまりにも恐ろしく感じられたからだ。

使用する言語は英語・スペイン語・スワヒリ語・ヒンディー語・ヘブライ語・アラビア語・中国語・ロシア語。

これら8つのことばで刻むよう注文された10のガイドラインは、以下である。

【大自然と永遠に共存し、人類は5億人以下を維持する】

【健康と多様性の改善、再生を賢明に導く】

【新しい生きたことばで人類を団結させる】
【熱情・信仰・伝統・そして万物を、沈着なる理性で統制する】
【公正な法律と正義の法廷で、人びとと国家を保護する】
【外部との紛争は世界法廷が解決するよう、総ての国家を内部から規定する】
【狭量な法律や無駄な役人を廃す】
【社会的義務と個人的権利の平衡をとる】
【無限の調和を求める真・美・愛を賛える】
【地球の癌にならない　――自然の為の余地をのこすこと――】

おおむね、理想的な世界のありようを記しているように思える文章だが、特に恐ろしいのはひとつ目だろう。

このモニュメントが作られた1980年の時点で世界の人口はおよそ45億人。

それを5億人以下で維持しようと訴えているのである。

「おいおい、これは一体なんの冗談だ？」

「冗談なんかじゃありません。至って大真面目ですよ」

フェンドリーは内心で、どうやってこのバカげた依頼主を事務所から追いかえそうかと考えていた。

そして、あきらめさせてやろうと金額を吊りあげて提示したが、それでもR・C・クリスチャンは真顔を崩さず、折れることもなかった。

そして**地元の銀行の経営者・マーティン**に資金提供の話をつけてきてしまったのである。

マーティンはこの話をR・C・クリスチャンにもちかけられたとき、フェンドリーと同じような反応をした。

だが接するうちに彼が本気で、しかも彼が所属するという組織の返済能力まであることを示されると、正式に契約したのである。

だが、マーティンはそれにあたって条件をひとつ提示した。

「身元をあかしてくれないと信用できない。でないと資金提供の契約も無理だ」

「実は偽名をつかっているのですが、それではダメだということですか」

「ああ。そういうことだ」

「では――」

R・C・クリスチャンは、マーティンが絶対に秘密を守るよう契約書にサインすることを条件に、本名をあかした。

こうして、目的もよくわからないこの計画に巻きこまれた人びとはモニュメント製作にとりかかることになった。

かくして、1980年3月22日。

400人の観衆の前で、完成したモニュメントが公開された。

そしてそれ以降、ジョージア・ガイドストーンと名付けられたモニュメントは**『アメリカのストーンヘンジ』**ともよばれ、観光スポットとして親しまれるとともに、思想的な部分で強い批判の対象ともなった。

ところがR・C・クリスチャンは、公開式には現れなかった。

しかもその後どういうわけかR・C・クリスチャンからモニュメントの管理をエルバート郡に任せるように指示が届き、なんとそれは実現してしまったのだ。

そんなできごとがあって以降も、マーティンはR・C・クリスチャンと連絡をとりあい、良い友人となった。

そして最後まで、彼の組織と正確な素性についてあかすことはなかった。

R・C・クリスチャンと連絡が途絶えた現在もなお、秘密保持契約を守り続けているのである。

作ることを依頼した人物も謎なら、意図も不明なこのモニュメントであったが、2008年には**『新世界秩序に死を』**というメッセージが書きこまれる事件がおこった。

また2022年7月6日、何者かによって4つの柱のうちの1つが爆破された。

その様子は防犯カメラにおさめられ、直前にひとりの人物がにげている映像がのこされている。

そしてのこる3つの柱についても爆発物がとりつけられた可能性があったため、当日のうちに解体された。

結局、ジョージア・ガイドストーンが誰の意志で作られ、誰によって破壊さ

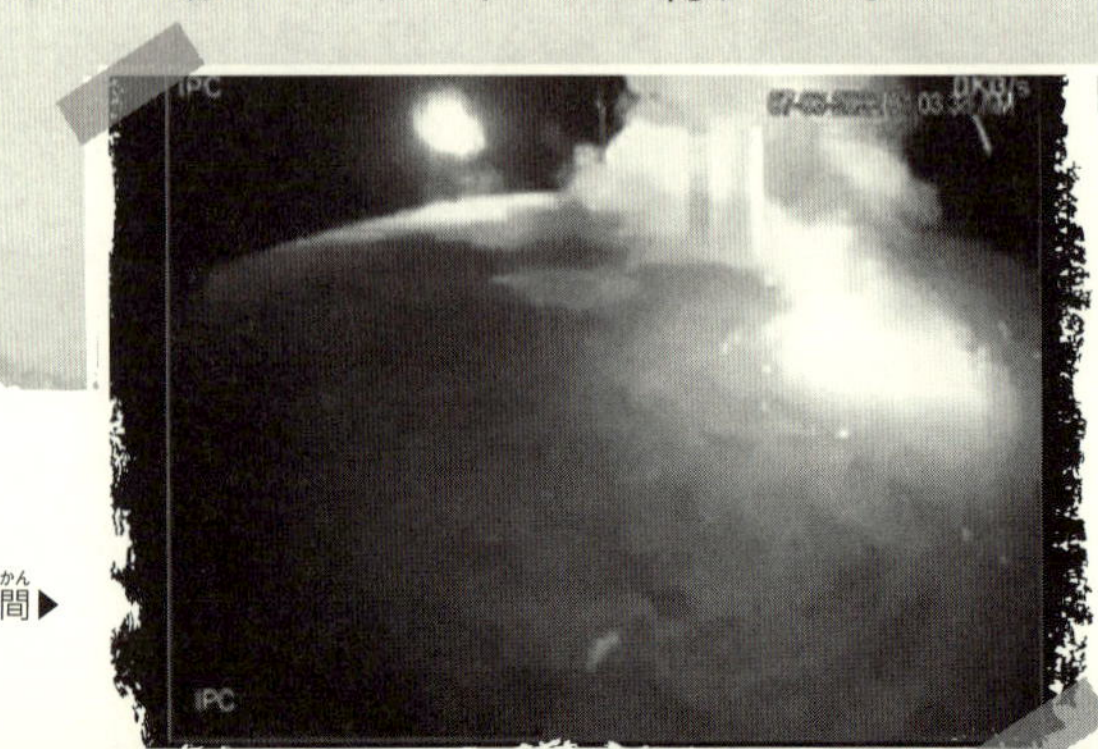

監視カメラに映っていた
ジョージア・ガイドストーン爆発の瞬間▶

れたのか、その謎はどれも解きあかされてはいない――。

▲ジョージア・ガイドストーン

4枚の石板には「10のガイドライン」が8つの現代語で書かれていた。

また、4つの古代言語文字（アッカド語、古代ギリシャ語、サンスクリット語、ヒエログリフ）の短いメッセージが側面に刻まれていた。

「ゴウ。今度のミッションだが……」

「ええ。いただいたメールを読んで驚いていますよ、ゲイトさん。どうして、またここに？」

豪の書斎の前をとおりがかったときに、未知人は気になる会話をきいた。

耳が良すぎる彼は、つまらない噂話なんかでいちいち心が乱されないように、普段、なるべく意識して心をとざし、きかないようにしている。

だが、ゲイトの名前がでれば話は別だ。

今度はどんな依頼なのか。

母に結びつきそうな案件だろうか。

未知人にとってはもっとも重大なことだった。

そこで、悪いと思いつつ書斎の扉の前で立ち止まり、気配を殺して、耳をそばだてた。

「また、やつらが動きだしそうだと、私の優秀なＡＩが知らせてくれてね」

「そうですか……」

「今度もまた、前回と同じようにかなりの危険が伴うかもしれない。お望みとあらば、銃の携帯許可を発行するが？」

「いやぁ、それは勘弁してください。不慣れなものをつかうのは流儀に反するので。前回だって大変だったんですから」

「一応、航空券はいつもどおりミチトの分もとっておいたけれど」

「それも勘弁ですよ。今回もひとりでやります」

「OK。そこは任せるがね。ではたのむよ。成功を祈っている」

ここで電話がきれた。

そして書斎のなかからは、豪の気が重たそうなため息がきこえてきた。


そして翌日の早朝。

まだ日も昇らないような時間に、電気もつけずヒタヒタと注意しながら2階の階段をおりてくる足音がきこえる。

その足音は玄関まで到達し、ゴソゴソと靴を履く音。

そして、ソーッと家のドアが開く。

足音の主は自宅の駐車場にやってくる。

そして型の古いフィアットの運転席に乗りこむと、後部座席からヌッとだした未知人の顔をバックミラー越しに見て、目を丸くした。

「おはやい出発だね、父さん」

「はは……お前こそ」

◆◆◆

日本から飛行機でアメリカ・ジョージア州のアトランタ国際空港まで15～20時間。

そこから東へ140キロメートルのところにある、エルバート郡にむかう車のなか。

運転する豪と助手席の未知人は互いにムスッとした顔をして、おし黙ったままだった。

◀エルバートン市にあるエルバート郡庁舎

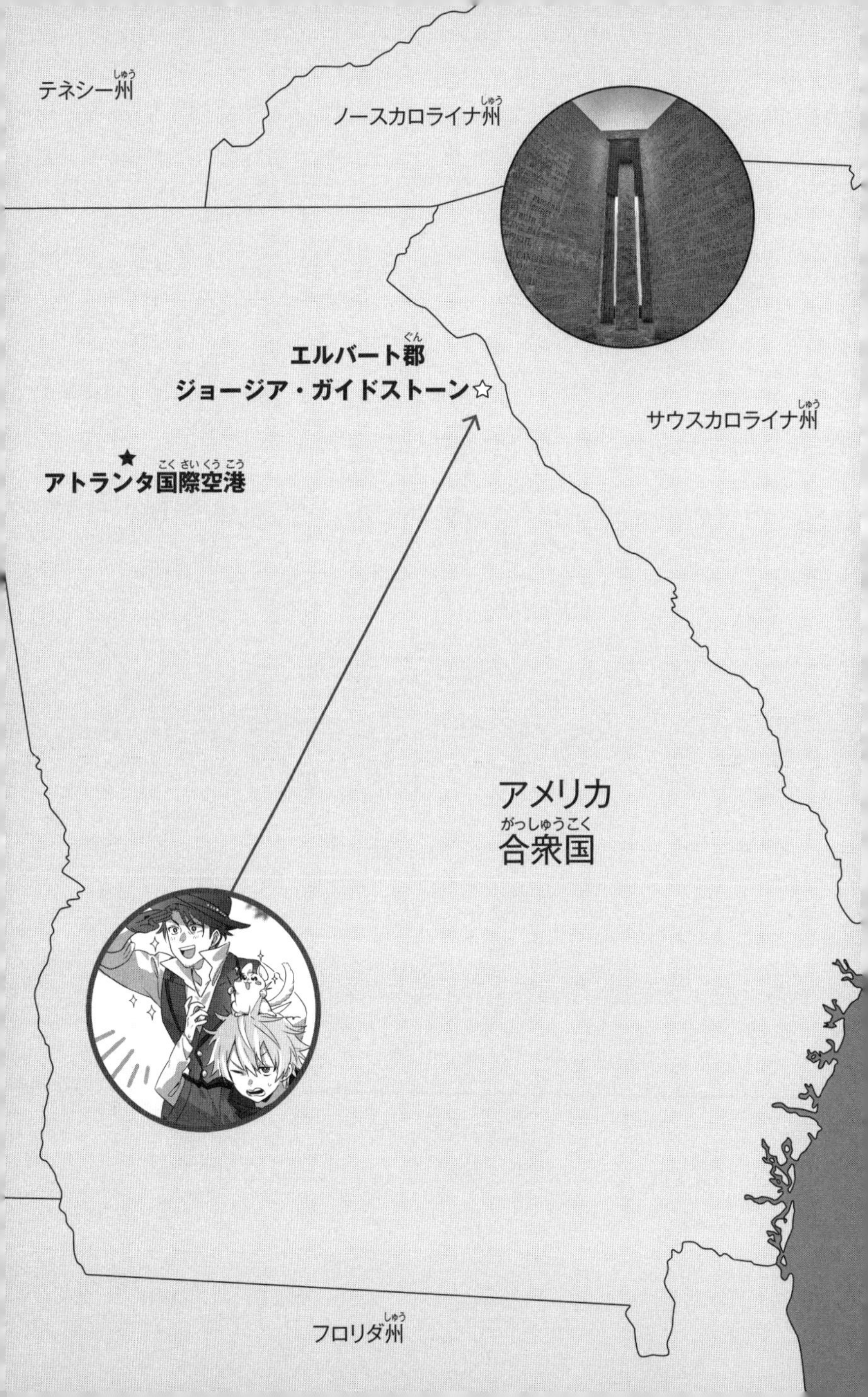

テネシー州
ノースカロライナ州
エルバート郡
ジョージア・ガイドストーン☆
サウスカロライナ州
★
アトランタ国際空港
アメリカ合衆国
フロリダ州

というのも家をでてから飛行機のなかまで、連れていく、連れていかないのおし問答をくりかえし、未知人がいき先をたずねても豪は答えようとしなかったからだ。

だが、それでも未知人は食いさがり続け、とうとうここまできてしまったのだ。

そして未知人ならば、ここまできたらさすがに目的地が思い当たる。

（ジョージア・ガイドストーン……でも、もうなくなっているはずじゃ……）

だが、何をきいても父は教えてくれないだろう。

それにしても、数ある怪奇スポットのなかでも有数の、きな臭い場所の跡地にいくのはどういうことだろうと未知人は思った。

ゲイトさんがいう、銃をもたせようとするほど危険な相手『**やつら**』とは何者なのだろうか。

そして『**前回**』ということは、豪は一度いったことがあるのだろうか。

ちなみに未知人ははじめてきた。

（そういえば……！）

未知人は思いだした。

以前、今回と同じように豪が自分に行き先を告げずにひとりでどこかへでかけてしまったときのことを。

あのときはあらかじめ豪にたのまれていたマコが毎日家に食事を作りにきてくれて助かったものの、父に対しては大層不信感を募らせたものだった。

それからだ。

豪がどんなに止めても取材旅行に絶対についていくようになったのは。

そうして、**エルバートン**という町につくと、ふたりは宿泊するホテルにチェックインした。

すると、豪が部屋のキーを未知人にさしだす。

「きょうは別々の部屋だ」

「ふうん……そこまでするんだ。今回、カメラマンはいらないってこと」

「……ツインの部屋がとれなかったんじゃないか」

「ゲイトさんが？　そんなことはないだろ」

しかし、豪はそれ以上なにも喋らず、客室行きのエレベーターへと歩いていった。

ふたりの部屋は、それぞれ階まで違っていた。

豪は自分の部屋番号すら教えてくれない。

未知人の耳を警戒しているのだ。

自分にあてがわれたシングルルームの床に荷物をおろすと、未知人はベッドに身を投げだし、どうしたものかと考える。

家をでるときはスペアキーで車内に潜りこんだが、こちらで借りたレンタカーの鍵は豪がもっているため、勝手に車に乗りこむことはできない。

豪がいつでかけるのかもわからないし、エルバートンからジョージア・ガイドストーンまでは14キロあるから、徒歩では3時間以上もかかってしまう。

多少飲み食いするだけのお金はもたされているが、タクシーに乗れるほどではない。

ぼんやりと部屋を見まわしてみる。

すると、デスクの脇に真っ白な花が飾られていることに気がついた。

(この花……たしか**ゼラニウム**とかいう名前じゃなかったっけ)

未知人は花に詳しいわけでもなかったが、なんとなく気になったので答えあわせのた

ゼラニウム
花言葉・偽り

めスマホで調べてみることにした。
(うん、間違いない。でも……)
開いたサイトには部屋に飾ってあるものと同じ花の写真。
そして花の色別に花言葉が書かれていた。
白のゼラニウムの花言葉は『偽り』、そして『あなたの愛は信じない』。
なんだか今の父に対する疑念が連想されるようで気分が悪くなる。
未知人はスマホをとじてベッドに倒れこんだ。
そのときだ。
「チラ〜……」
ポケットから這いでてきたチラが腹を抑えて鳴き声をあげる。
空腹だというジェスチャーだ。
そこで未知人は、ひとまずロビーのカフェにいくことにした。
豪がでかけないか、見張るという意味もある。

ゼラニウムの花言葉は、「真の友情」、「尊敬」、「信頼」といったあかるいことばがおおい。しかし白いゼラニウムにはすこし怖い意味もある…▶

未知人はチラをポケットに戻すと、ベッドから体をおこし部屋を後にした。

◆　◆　◆

カフェのソファに座り、注文したコーラを飲みながら、チラにはナッツをあげる。

そんなふうに時間を無為にすごしていると、未知人にひとりの青年が英語で話しかけてきた。

「可愛い動物を連れているね。キミもUFOを見にきたの？」

「えっ⁉」

未知人がガタッと立ちあがると、青年はその勢いに気圧されたような顔をした。

「えーと……違うならごめん」

「UFOが現れるのか⁉　どこに⁉」

「ジョージア・ガイドストーンの跡地だよ」

それから、未知人はさらに詳しく話をきくため、問いつめた。

◀アメリカのニュージャージーで撮影されたとされるUFO。世界中でUFOは目撃されている…。

なんでも、近頃ジョージア・ガイドストーンのあった場所で、夜になると不規則に飛びまわる謎の発光体が見られるようになったらしい。

オリバーと名乗るその青年は、いかにもおだやかそうな見た目で、大きな丸眼鏡をかけた、ひょろっと背の高い、アメリカのオタクといった風貌である。

大学生で、ミステリー研究会というサークルに所属しているそうだ。

そこで彼も、サークルが発行している新聞にスクープ写真を載せるため、撮影しにきたのだという。

「オレも連れていってくれないか!?」

「ああ、キミもUFOに興味があるんだね。いいよ。ボクの車で一緒にいこう」

こうして、未知人は約束した夕方にオリバーと待ちあわせ、彼の車に乗りこんだ。

何も教えてくれない父には、未知人もでかけることを告げなかった。

「ボクはね、ジョージア・ガイドストーンとUFOに、何らかの関わりがあるんじゃないかと思ってるんだ」

車を運転しながら、助手席の未知人にオリバーがいう。

「例えば、ガイドストーンの製作を依頼したR・C・クリスチャンが宇宙人だった……とかね」

「ああ。その可能性は十分に考えられる。その場合、ガイドストーンに書かれた内容から推測すると、**宇宙人の目的は地球や人類の管理だ**」

「ミチトもそう思うよね。ガイドストーンはきっと、彼らが人類にもわかりやすく意志を伝えるための手段だったんじゃないのかな」

「だけど、爆破された。これは、**宇宙人の目的に気付いた人間が、宇宙人に抵抗するためにやったこと**なのかもしれない」

そこまで話したとき、未知人はひとつの可能性にたどりついてハッとした。

（実は、その『気付いた人間』はゲイトさんで、父さんにガイドストーンを爆破させたんじゃ……）

そう考えると、あれほどゲイトさんが父に危険なミッションだと伝えていたのも納得する。

実際、ガイドストーンに書かれていたことを信奉するエリートやオカルトグループは存在していたからだ。

また、怪しげな宗教団体によって数羽の鳥を斬首するなどの恐ろしい儀式がおこなわれていたというウワサもある。

彼らを敵にまわせば、当然危険なはずだ。

現在、地球上の人口は80億人にまで達している。

あまりにも増えすぎた人類は、この星の自然を破壊し、害を及ぼす存在だといっても過言ではない。

だが、そんな人類が大幅に減る可能性もなくはない。

ガイドストーンは、第三次世界大戦後の生きのこった人類にむけたメッセージだと解釈する人もいるのだ。

それが、およそ5億人ほどであると。

ところが、さらに恐ろしい考え方をする人もいる。

『何者かによる人類の選別』だ。

ガイドストーンを支持するエリートによるものなのか、宇宙人によるものなのかはわからない。

しかし、いつか人類が有益・無益で生きるべき人間を選別するような世の中になってしまうとしたら……。

未知人はゾッとする。

なぜならガイドストーンに刻まれた文章に日本語はないからだ。

つまりガイドストーンがきたるべき未来に伝えるメッセージの対象に、日本人は選ばれていないと考えることもできる。

また、このときすでに日本人が滅びている可能性だってある。

日本は少子高齢化が進み、2100年には現在の人口約1億2000万人からその半分にまで減少するというデータもあるのだ。

そしてもうひとつ不可解なことがある。

豪が以前にもこの場所を訪れているのはおそらく間違いないだろう。

しかし豪のオーチューブチャンネルにジョージア・ガイドストーンを撮影した動画は存在しない。

これもまた、ただの取材ではなく、特殊なミッションだったからだと考えられるのではないか。

「なにやってんだよ、父さん……」

思わず、未知人はつぶやいた。

するとオリバーが反応する。

「父さん？　失礼だけど、もしかしてキミのお父さんって、あの有名なゴウ・セカイじゃない？　ファミリーネームが一緒だからそう思っただけなんだけど」

「……ああ、そうだよ」

「ワオ！　なんて素晴らしいんだ！」

オリバーのテンションが一気にあがる。

有名人の息子というと面倒もおおいので、未知人は普段そういうことを隠すのだが、打ち解けたことによって、そのあたりの警戒心が緩んでいた。

結局目的地につくまで、ゴウの普段の様子とか実際どういう人なのかとか、質問攻めにあい、未知人は辟易するのだった。


「……発光体は、見えないな」

ジョージア・ガイドストーン跡地についた未知人とオリバーは、夜空を見あげながら途方に暮れていた。

ただ、まつしかなかった。

UFOは、きたら確実に見られるというものではない。

そんなこと、未知人は百も承知である。

「さて、どうしようか――」

未知人がオリバーの方を振りむこうとした瞬間。

目の前にはさっきまでのおだやかさがウソのような、鬼の形相をしたオリバーがいた。

「ごめんね。悪く思わないでくれよ」

そういうがはやいか、オリバーは手にもったピアノ線を未知人の首に巻きつけ、引きしめる。

だが未知人はとっさに指をはさみ、首がしまるのを回避する。

「ううっ！」

「UFOをよぶには儀式が必要なんだよ。ガイドストーンに書かれているように、宇宙人は人口減少を望んでる！　だったらキミのような子供を生贄にすればいい！　そうすればボクは生きのこる人類に選ばれる！」

オリバーは独自の思想を語りながら、ギリギリとピアノ線をさらに強くしめあげる。

未知人は必死に抵抗するが、指に食いこんだピアノ線は肉を裂き、鮮血がほとばしる。

「痛うっ！」

このままでは指を切断されてしまう。

そんな危機に、未知人は為す術もない。

絶体絶命——そんなことばが脳裏をよぎった瞬間、ポケットからチラが飛びだしてきた。

「チラチラッ、チラ〜〜ッッ！」

チラが鋭い前歯でピアノ線を噛みちぎり、未知人は自由の身となった。

すると強い力でピアノ線を引いていたオリバーは、ちぎれた勢いで尻もちをつく。

未知人はすかさず反撃しようと体勢を整える。

しかし、対峙したオリバーはすでに、豪によって片腕をしめあげられ、組みふせられていた。

「父さん……？」

「未知人！　なにやってるんだ、こんなところで！」

「父さんこそ！」

「こいつはガイドストーン信者の過激派だ！　**信者にやられて死んじゃったらシャレにならないぞ！**　だから危険だっていってたのに！」

「それならそうといってくれればよかったじゃないか——あっ！」


ヴーン……ヴーン……。

見あげると、夜空に光る飛行物体が現れていた。

そしてその下から地面まで、スポットライトのような光がおちる。

するとそのなかに、人影が見えた。

軍服のようなすがた、『この世のものではないような』美しい笑みをうかべたひとりの青年。

幻だ。

「まったく。悪魔崇拝、魔女信仰、血の捧げもの……いつの時代も野蛮なものだね、人間っていうのは」

「幻！」

未知人はさけぶが、身体は動かない。

涼しい顔で地上におりた幻は、豪が組みふせているオリバーのそばに立った。

「おい、なにをする気だ！」

豪がさけぶ。

だが、幻が手のひらをかざすと、豪だけが謎の衝撃波に吹き飛ばされ、地面に転がった。

「おめでとう。キミは望みどおり『神』に選ばれた」

「ああ……あなたが、宇宙からの使者……！　私を未来の生還者にしていただけるのですか」

オリバーは祈るように両手を組み、幻の前にひざまずく。

だが次の瞬間、幻は冷酷な笑みをうかべながらこういった。

「いいや、地獄行きにさ……」

するとオリバーのすがたは溶けるようにスーッと透明になっていく。

「え……あ……ボクの身体が……ああああっ！」

そしてついに、その場にいたはずのオリバーのすがたは消滅してしまった。

それを見届けた幻は、未知人の方をむく。

「キミたちがジョージア・ガイドストーンとよんでいたものは我々にとって不要になった。だから人間を操って破壊させたのさ。『神』の意志でね」

「なんだって!?」

「キミの父親は阻止しにきたようだけど。今回も無駄足だ」

「どういうことだ⁉　答えろ、幻！」

「ああ、そういえばガイドストーン爆破につかって廃棄した人間はキミたちの『組織』で保護したんだっけ。でも、なんの情報ものこってなかっただろう？」

「『組織』？　なんのことだ！」

「おや、すこし喋りすぎたかな？」

幻はくるりと踵をかえし、発光体の下に歩いていく。

すると再び垂直に光が伸びてきて、幻は宙にうき、発光体のなかにすがたを消した。

そして発光体も、ものすごい速さで遠くへ飛んでいってしまった。

◆　◆　◆

幻がいなくなると、動けるようになった未知人。

周囲を見まわしてみると、ちょうどガイドストーンがあった場所に白いゼラニウムの花束がおかれていた。

さっきまではなかったはずなので、幻がおいていったものかもしれない。

そういえば、ホテルでゼラニウムについて調べたとき、花言葉以外にも文章が書いてあったことを思いだす。


『外国では、白いゼラニウムは嫌いな人に贈る花というイメージがある』


なるほど、これもまた幻流のきどった敵意の向け方といったところなのだろう。

未知人はおかれた花束を拾うでもなく見下ろしたまま、しばらくはその場に立ち尽くしていた。

ホテルの部屋にゼラニウムを飾ったのも幻の仕業だったとしたら、内面まで見透かされているようでひどく気分が悪い。

父を疑い、独断専行して翻弄された様を幻は見ていたのだろうか。

幻があざ笑っている顔がありありと目にうかび、未知人は怒りで奥歯を強く噛みしめた。

豪はまだ地面にうずくまっている。
気絶しているようだ。
しかしどこかケガをしている様子はないので、しばらくすれば目覚めるだろう。
父にききたいことは山ほどある。
いったい、何が真実だったのだろう。
今回のミッションも謎のままだ。
そして、ただのオカルトマニアの大富豪だと思っていたゲイトさんは何者なのか。
もしかしたら、幻や『神』のことも何か知っているのかもしれない。
ふと、未知人は、さっき幻が発光体にかえっていく様子を思いだす。
あれはどこかで見たことがある光景によく似ている気がする。
そう。
いつもよく見る、母がさらわれたときのあの夢に――。

エピローグ

「……うん、わかった。……いや、もういい。これで、あのガイドストーンが破壊された経緯はハッキリしたからね。とりあえず、今回のミッションはおわりだ。また連絡する」

ステファン・ゲイトは、それだけいうと、豪からかかってきた電話をきる。

そして、椅子をクルリと回転させると、背後にある巨大な液晶画面にむかって、リモコンのスイッチをおした。

分割画面に映しだされたのは、いずれも地球上空400キロメートルの映像。

宇宙空間とよばれる場所だ。

そこには、国際宇宙ステーション5基が、それぞれの軌道を周回している。

それらは、サッカー場がすっぽりとおさまるほどの大きさだ。

宇宙空間でただひとつ、人類が活動できる場所。

そこには、人類の夢、願い、知恵のすべてがつまっている。

重力の影響を受けにくい、そんな環境だからこそ、可能な実験や研究。

宇宙から、地球の自然環境を見守るミッション。

さまざまな活動をとおして、地球の暮らしや人類の発展に貢献しているのだ。

アメリカ、日本、欧州各国をはじめ、世界中の国々が協力して作りあげた国際宇宙ステーションに、国境はない。

国際協力と平和のシンボルでもあった。

このプロジェクトには、IT長者のステファン・ゲイトも多額の出資をしていた。

社長室の巨大スクリーンの映像がきりかわり、ひとりの青年のすがたが画面いっぱいに映しだされる。

「ユージ、実験は、順調に進んでいるようだな」

青年にむかって、ゲイトは話しかけた。

青年は、美しい顔をした、長髪の日本人だ。

しかし、彼は、実はこの世に存在していない。

かつてゲイトとともに、IT企業『**マックスウェル**』を築きあげたエンジニアのユージは、高性能のAIを設計したのち、病死してしまった。

ゲイトは、ユージが設計したAIに、『ユージ』と、名前をつけた。

ユージの死後、**AIの『ユージ』**をビジネスパートナーにして、ゲイトは、ともに『マックスウェル』を運営してきたのだ。

「国際宇宙ステーションでの実験が終了したら、次のステップは、巨大なスペースコロニーの打ちあげだ」

子供のように目を輝かせながら、ゲイトは『ユージ』に語る。

「たしかに今、人類は究極の選択を迫られている。このまま人口増加が続き、温暖化が進めば、地球や人類にとって、やがて壊滅的な影響がでてくるだろう。しかし、このスペースコロニー計画がうまくいけば、人口問題に頭を悩まされることもなくなる。地球の人口が増えすぎたら、宇宙に移住すればいいんだからね。ジョージア・ガイドストーンは、もはや不要……まさにそのとおりだ」

ゲイトは、ここまでいうと、同意を求めるように、スクリーンに映ったユージの顔を見あげた。

ところが、ユージは、なぜかその顔をくもらせている。

「ん？　どうした、ユージ？　私の計画に、何か問題でもあるのか？」

ユージは、しばらく間をおいてから、ことばを選ぶようにいった。

「私は、いかなるときでも、ゲイトさん、あなたの味方です」

「はは、それは心強いね」

そういって笑うゲイトに、ユージは、おだやかな声でいった。

「あなたに、神のご加護があることを祈っています」

［第４巻につづく］

作 木滝りま　きたき・りま（執筆：プロローグ、3章、4章、エピローグ）

茨城県出身。小説家、脚本家。児童書の作品に「科学探偵 謎野真実」シリーズ（朝日新聞出版）、『世にも奇妙な物語 ドラマノベライズ 恐怖のはじまり編』（集英社）、「みんなから聞いたほっこり怖い話」シリーズ（岩崎書店）など。脚本作品にドラマ「正直不動産」「カナカナ」「念力家族」「ほんとにあった怖い話」など。

作 太田守信　おおた・もりのぶ（執筆：1章、2章、5章）

立教大学文学部ドイツ文学科卒業。小説家、脚本家、演出家、俳優。漫画「ブルペンキャッチャー真壁満人」（ホーム社）原作、「〜はんなり京都〜浄化古伝」（双葉社）小説構成、「行ってはいけない世界遺産」（花霞和彦・著、CCCメディアハウス）リサーチ協力、ドラマ「ダ・カーポしませんか？」脚本協力など。他、舞台脚本多数。

絵 イノオカ

群馬県出身。イラストレーター。キャラクターデザイン、キービジュアル、スチルイラスト等、X、Tumblrにて随時更新中。

キャラクター原案　先崎真琴
装丁・本文フォーマット　みぞぐちまいこ（cob design）
協力　樋野友三（&REAM,Inc.）

写真出典
p7,p13, カバー GerbenDoosje, CC BY-SA 4.0
p14 Added by QueenCather1ine26
p15 AlMare, CC BY-SA 2.5
17p Zairon, CC BY-SA 4.0
24p Rolf Kranz, CC BY-SA 4.0
p36-37 Séraphin-Médéric Mieusement, CC BY-SA 4.0
p36 Guiguilacagouille, CC BY-SA 3.0
p7,p51,p59, カバー Added by Praying Mantis Man CC BY-SA 3.0
p53 Jim, the Photographer, CC BY 2.0
p54 Added by Praying Mantis Man CC BY-SA 3.0
p56 Added by Praying Mantis Man CC BY-SA 3.0
p62 John Pavelka, CC BY 2.0
p67 Photo by Pavel Novak, CC BY-SA 2.5
p71 Urban Kalbermatter, CC BY 2.0
p6,p77,p82 Toomore Chiang, CC BY 3.0
p81 Jiaqian AirplaneFan, CC BY 3.0
p86 By Daniel Guo, CC BY-SA 3.0
p87 Fcuk1203, CC BY-SA 3.0
p92-93,p104 Jim X, CC BY-SA 4.0
p92, カバー ”撮影＝李家愷（政治大學華人宗教研究中心助理）資料協力＝web ムー”
p7,p109,p114, カバー Anthony22 at English Wikipedia, CC BY-SA 3.0
p113 Benh L!EU SONG, CC BY-SA 4.0
p119 Photo by Getty Images
p126 Boston Public Library, CC BY 2.0
p6, p141,p151, カバー Dinasaurus, CC BY-SA 3.0
p147 Quentin Melson, CC BY-SA 4.0
p156 Adobe Stock
p158-159 KiltedEditor71, CC BY-SA 3.0

セカイの千怪奇 ③妖怪モシナの呪い

2024年5月31日　第1刷発行

作　者　　木滝りま　太田守信
画　家　　イノオカ
発行者　　小松崎敬子
発行所　　株式会社 岩崎書店
〒112-0005　東京都文京区水道1-9-2
電話　03-3812-9131（営業）
03-3813-5526（編集）
印刷・製本　三美印刷株式会社

NDC 913
ISBN 978-4-265-82103-7

Published by IWASAKI Publishing Co., Ltd. Printed in Japan　19 × 13cm
ご意見ご感想をお寄せください。　E-mail　info@iwasakishoten.co.jp
岩崎書店ホームページ　https://www.iwasakishoten.co.jp
落丁本・乱丁本は小社負担にておとりかえいたします。